LISE BOURBEAU

répond à vos questions sur:

L'ARGENT ET L'ABONDANCE

Distribué au Québec par:

Québec-Livres
2185 Aut. des Laurentides
Laval (Québec)
H7S 1Z6
CANADA
Tél: (450) 687-1210
Fax: (450) 687-1331

Distribué en France par:

D.G. Diffusion
6, rue Jeanbernat
31000 Toulouse
FRANCE
Tél: (05) 61 62 63 41
Fax: (05) 61 62 65 39

Distribué en Suisse par:

Diffusion Transat SA
Route des jeunes, 4ter
Case postale 1210
1211 Genève 26
SUISSE
Tél: 022/342 77 40
Fax: 022/343 46 46

Distribué en Belgique par:

VANDER
Avenue des Volontaires 321
1150 Bruxelles
BELGIQUE
Tél: (02) 761 1212
Fax: (02) 761 1213

Dépôt légal:
Bibliothèque Nationale du Québec
Bibliothèque Nationale du Canada
Bibliothèque Nationale de France
Quatrième trimestre 1993
ISBN: 2-920932-10-1
Première édition - Deuxième impression
Publié par:
Les Éditions E.T.C. Inc.
1102, Boul. La Salette
Bellefeuille (Québec)
Canada J0R 1A0
Téléphone: (450) 431-5336
Amérique du Nord: 1-800-361-3834
Télécopieur: (450) 431-0991
Courriel: info@leseditionsetc.com
www.leseditionsetc.com

Livres déjà parus de la même auteure:

ÉCOUTE TON CORPS, ton plus grand ami sur la Terre (ce livre est traduit en anglais, espagnol, italien, allemand, russe, roumain, portugais, lithuanien et bientôt en polonais)

ÉCOUTE TON CORPS, ENCORE! (Tome 2) (ce livre est traduit en russe)

QUI ES-TU? (ce livre est traduit en italien et en roumain)

JE SUIS DIEU, WOW!

TON CORPS DIT : "AIME-TOI!" (ce livre est traduit en espagnol, allemand, russe et bientôt en polonais)

LES 5 BLESSURES QUI EMPÊCHENT D'ÊTRE SOI-MÊME (ce livre est traduit en anglais, allemand, russe et en italien)

UNE ANNÉE DE PRISES DE CONSCIENCE AVEC ÉCOUTE TON CORPS

COLLECTION ÉCOUTE TON CORPS :

- Les relations intimes (Livre #1)
  (ce livre est traduit en russe)
- La responsabilité, l'engagement et la culpabilité (Livre #2)
  (ce livre est traduit en russe)
- Les peurs et les croyances (Livre #3)
  (ce livre est traduit en russe)
- Les relations parents et enfants (Livre #4)
- L'argent et l'abondance (Livre #5)
  (ce livre est traduit en italien)
- Les émotions, les sentiments et le pardon (Livre #6)
  (ce livre est traduit en russe)
- La sexualité et la sensualité (Livre #7)

LA COLLECTION ROUMA (livres pour enfants)

- La découverte de Rouma
- Janie la petite

Consultez le catalogue des produits Écoute Ton Corps à la fin de ce livre.

REMERCIEMENTS

Merci à tous ceux
et celles qui assistent à
mes conférences
et ateliers.
Grâce à votre recherche
d'une meilleure
qualité de vie,
à votre intérêt pour les
enseignements
d'Écoute Ton Corps
et à vos multiples
questions,
j'ai pu créer cette
Collection Écoute Ton Corps.

*Un gros merci aux personnes
très spéciales qui
continuent depuis le début
à collaborer avec moi afin de
réaliser tous les livres
parus jusqu'à maintenant.*

Table des matières

INTRODUCTION

Les questions dans ce livret m'ont toutes été posées par des hommes et des femmes comme vous lors de mes conférences et de mes cours.

Ce recueil a été conçu pour vous assister dans la mise en pratique des notions que j'ai déjà couvertes dans mes trois premiers livres. À ceux qui ne les ont pas lus, je suggère fortement de le faire avant d'entamer la lecture des pages qui suivent.

Pour tirer vraiment avantage de ce livret, lisez la question et trouvez d'abord votre propre réponse avant de lire la mienne.

Vous remarquerez qu'il y a plus de questions provenant du sexe féminin que du sexe masculin. Ne vous laissez pas arrêter par ce fait car la grande majorité de ces questions auraient pu être posées autant par des hommes que par des femmes.

Certaines des questions de ce livret peuvent revenir dans d'autres livrets puisqu'elles touchent plusieurs thèmes étroitement liés.

Toutes les réponses données dans ce livret sont basées sur une approche qui a fait ses preuves et qui est au coeur de la philosophie de vie enseignée par le **Centre Écoute Ton Corps**. Je ne prétends pas avoir **LA** réponse à tout, mais avant de vous dire: *"Je suis sûr que cette solution n'aura pas le résultat que je veux"*, je vous suggère fortement de l'expérimenter au moins trois fois avant de la mettre de côté. Ne vous faites pas jouer de tour par votre mental! Laissez plutôt votre coeur décider et non la peur, qui est créée par le plan mental.

Si vous persistez à n'utiliser que ce que vous avez appris dans le passé pour gérer votre moment présent et que vous n'expérimentez rien de nouveau, ne soyez pas surpris si très peu de choses changent pour le mieux dans votre vie.

Vous voulez de l'amélioration? Choisissez alors de vivre de nouvelles expériences!

Bonne chance!

Avec amour,

Lise Bourbeau

LISE BOURBEAU

Lise Bourbeau répond à vos questions sur

L'ARGENT ET L'ABONDANCE

Comment pouvez-vous affirmer que l'argent est une énergie? Selon moi, une énergie, c'est quelque chose d'invisible et non de concret comme l'est l'argent.

Selon le dictionnaire, une énergie est une force qui rend capable de grands effets. L'argent, dans sa manifestation physique, est tout simplement le reflet ou le résultat de votre force intérieure ainsi que de votre pouvoir de créer. Voilà pourquoi le mot "énergie" est utilisé pour symboliser l'argent.

Quand nous regardons d'autres formes d'énergie comme l'air, le soleil, le feu, le vent et l'eau, nous constatons qu'elles existent en quantité infinie. C'est la même chose pour l'énergie qui produit l'argent. De plus, toute forme d'énergie peut être utilisée pour créer ou pour détruire, tout comme l'argent.

Dans notre monde matériel, l'argent est un des moyens d'échange créé dans le but de se procurer des biens. Voici un exemple qui démontre bien que l'argent est une forme d'énergie: en échange de services rendus à quelqu'un, vous avez obtenu l'argent nécessaire pour vous procurer ce livre. En l'achetant, vous payez pour l'énergie que plusieurs personnes, incluant moi-même, ont dû mettre pour le produire. J'utiliserai ensuite cet argent pour payer l'énergie dépensée par quelqu'un d'autre et ainsi de suite. C'est un enchaînement. Voilà pourquoi on peut affirmer que l'argent représente une énergie qui circule sans cesse.

Le secret de l'abondance est de laisser cette énergie circuler librement au lieu de la bloquer comme la plupart le font. Les réponses qui suivent donneront des moyens concrets pour laisser circuler cette énergie.

Avoir de l'argent est-il synonyme d'abondance?

La définition du mot abondance est "avoir en quantité supérieure aux besoins". Selon cette définition, être dans l'abondance c'est d'avoir plus d'argent qu'il nous est nécessaire pour satisfaire nos besoins. Comme nous avons tous des besoins différents, l'état d'abondance est donc différent d'une personne à l'autre.

Quelle est la différence entre l'abondance et la prospérité?

L'abondance se situe au niveau du "avoir" et la prospérité, au niveau du "être". Une personne prospère ne vit pas nécessairement dans l'abondance, sauf qu'elle sait au plus profond d'elle-même qu'elle aura toujours ce dont elle a besoin. Elle ne s'inquiète pas pour l'avenir. La prospérité est donc un état d'être.

Opposée à la prospérité, on retrouve la pauvreté qui est aussi un état d'être. C'est l'état d'une personne qui croit au manque.

Si je ne m'inquiète pas au sujet de l'argent, comment puis-je avoir la certitude d'en avoir suffisamment pour rencontrer mes fins de mois?

Ne pas s'inquiéter ne veut pas dire ne rien faire. Vous devez continuer à faire des actions pour avoir l'argent dont vous avez besoin, mais sans vous inquiéter. Le fait de vous inquiéter sans cesse vous apporte-t-il plus d'argent? Je suis sûre que non. Et si parfois cela vous en apporte, êtes-vous prêt à payer le prix que cela vous coûte? Désirez-vous continuer à subir les effets néfastes de cette inquiétude sur la santé de vos corps physique, émotionnel et mental?

Le moyen le plus efficace pour faire circuler plus d'argent dans votre vie est d'utiliser votre énergie pour créer le style de vie que vous désirez. J'entends par là créer votre vie selon votre intuition, selon ce que vous voulez vraiment au plus profond de vous et non selon ce qui est supposé par peur de déplaire à quelqu'un ou par peur de manquer de quelque chose.

Quelle est la cause des problèmes d'argent que tant de personnes ont en ce moment?

À un certain moment de l'évolution, les dirigeants de plusieurs religions se sont aperçus que la plupart des gens qui avaient de l'argent ou des biens matériels finissaient par oublier **DIEU**. Cet argent ou ces biens devenaient leur dieu. Comme les religions avaient pour but de nous ramener à **DIEU**, elles ont propagé la croyance qu'il était très difficile pour un riche d'aller au ciel. Nous avons donc accepté de croire que les riches ne vont pas au ciel. Comme nous sommes tous fondamentalement spirituels, même si plusieurs n'en sont pas conscients, nous cherchons **DIEU**. Pour arriver à trouver **DIEU**, nous devons apprendre à nous détacher de nos biens matériels.

Il est vrai qu'il est plus difficile de vivre dans le détachement quand quelqu'un possède beaucoup d'argent et de biens matériels. Être détaché ne veut pas dire s'en priver. Cela veut plutôt dire d'être capable d'avoir des biens matériels sans vivre pour ces biens, sans s'inquiéter de les perdre. La prospérité c'est savoir que même quand on perd quelque chose, on peut toujours se le procurer de nouveau. Nous devons donc apprendre à vivre entourés de biens matériels tout en étant détachés de ceux-ci.

Malheureusement, la plupart des gens continuent à croire, au plus profond d'eux, qu'il n'est pas souhaitable d'être riche. Dans le monde matériel, comme il nous arrive toujours ce à quoi nous croyons, il n'est pas surprenant de voir tant de personnes avoir de la difficulté à vivre dans l'abondance.

Comment faire pour vivre dans l'abondance spirituelle, émotive et financière en même temps?

Quand vous parlez d'abondance spirituelle,

vous voulez sûrement dire: "Comment être une personne spirituelle tout en vivant dans l'abondance émotive et financière?" Cela est possible en acceptant le fait que vous y avez droit. Comme nous sommes **DIEU** s'exprimant en tant qu'humains, nous avons tous droit à un bonheur complet, dans tous les domaines. **DIEU**, étant pur amour, ne veut pour nous tous qu'une vie remplie d'amour, de joie, de santé, d'abondance et d'harmonie. Quand nous vivons autre chose, c'est que nous avons oublié **DIEU**.

En plus de la vérité que **DIEU** est amour, il existe une loi de cause et effet qui gère la vie sur cette planète et qui nous fait récolter ce que nous semons.

En effet, en tant qu'humains, nous avons tous le libre arbitre, c'est-à-dire le pouvoir de choisir. Ce pouvoir, qui nous a été donné en cadeau, a malheureusement été mal utilisé par l'humain. La plupart des gens choisissent de ne pas croire que "**DIEU** est amour" ou qu'ils méritent l'abondance. Voilà pourquoi ils récoltent autre chose que ce qu'ils veulent. Ils récoltent exactement ce à quoi ils croient et non ce qu'ils désirent.

C'est en sachant au plus profond de vous le fait que vous avez droit à toutes les richesses sur cette terre qu'elles se manifesteront dans votre vie. En utilisant ces richesses pour vous rapprocher de **DIEU**, vous développerez votre dimension spirituelle tout en étant heureux financièrement.

Que pensez-vous de l'aide aux pays du tiers-monde ainsi qu'aux différents organismes de

charité qui nous sollicitent sans arrêt? Les aidons-nous vraiment en leur donnant de l'argent ou des biens?

Il est vrai qu'il n'y a jamais eu autant de sollicitations que maintenant. Malgré toute l'aide que les pays riches ont fournie depuis plusieurs années, la différence entre les riches et les pauvres ne fait que s'accentuer davantage. C'est pourquoi nous sommes tant sollicités.

Mon point de vue à ce sujet est que cette situation nous fournit l'occasion d'apprendre à donner sans attentes. Quand nous faisons un don à ces organismes, nous ne pouvons savoir ce qu'ils font réellement avec cet argent. Ce n'est pas vraiment important. L'essentiel est de se souvenir que nous récoltons selon notre motivation. De plus, on dit qu'un don fait dans l'anonymat nous rapporte au centuple. En donnant ainsi, nous nous aidons donc beaucoup plus que nous aidons les autres, alors pourquoi ne pas donner? Aussi, un don véritable est celui qui nous demande un effort en donnant. Ce n'est pas seulement donner le surplus.

Donner sans attentes fait partie de l'énergie de l'ère du Verseau et c'est une des lois de l'abondance: "Donnez et vous recevrez!"

Pourquoi 50% des personnes vivant sur la Terre ont-elles choisi de vivre dans la pauvreté? Ont-elles un message à comprendre d'après le choix qu'elles ont fait avant de naître?

Selon les statistiques, il y a même au-delà de 50% des habitants de la planète qui vivent dans la pauvreté! Cependant, ces statistiques sont faites selon notre version occidentale des notions de richesse et de pauvreté. Ce qui est considéré comme pauvre ici est une richesse pour les gens d'Afrique ou d'Amérique du Sud.

Plusieurs ont choisi un plan de vie avec peu d'argent ou de biens matériels. S'ils acceptent sincèrement ce plan de vie dans l'harmonie, ils peuvent être très heureux; ils n'auront pas nécessairement besoin de vivre avec si peu pour le reste de leurs jours. Une fois leur leçon de vie apprise, ils peuvent passer à autre chose. Par contre, il y a toujours le danger que ces personnes se laissent influencer par l'environnement et n'acceptent pas ce genre de vie. Il semble plus difficile d'être heureux dans de telles conditions.

La grande majorité des gens pauvres le sont parce qu'ils ont oublié **DIEU**. Ils ne reconnaissent pas leur grand pouvoir de créer leur vie. Ils laissent les peurs diriger leur vie. Souvenez-vous: être pauvre c'est de croire au manque et non de posséder peu de biens matériels. Leur manque d'argent est le symbole du manque de créativité dans leur vie.

Pourquoi certaines personnes ayant été élevées dans la pauvreté deviennent-elles très riches? Parce qu'elles ont passé à l'action et qu'elles ont créé quelque chose dans leur vie!

Avec l'ère du Verseau, nous avons tous besoin d'apprendre à respecter l'argent et les biens matériels, à les voir comme étant une manifestation divine et non pas comme un critère de notre succès dans la vie.

Qu'ai-je à comprendre avec le fait que l'aide que

l'on me demande est souvent financière? De plus, comment m'y prendre pour récupérer l'argent qu'une personne m'a emprunté?

D'après votre question, non seulement on vous demande de l'aide financière, mais vous avez de la difficulté à vous faire rembourser! Vous avez sûrement à changer votre perception face aux emprunts d'argent. Se peut-il qu'une partie de vous ait de la difficulté à emprunter de l'argent? Croyez-vous que vous devriez être capable de vous organiser tout seul? Si jamais vous devez faire un emprunt, je suis à peu près assurée que vous vous hâtez de rembourser cet emprunt, même au prix de grands efforts! Réalisez-vous que lorsque vous empruntez, vous donnez l'occasion à la personne qui vous prête de faire un don, une action d'amour, un geste d'entraide?

Le fait que la personne à qui vous avez prêté de l'argent ne vous le remette pas est dû à une croyance. Vous croyez probablement qu'il est mal de ne pas rembourser un prêt. Vous ne pouvez croire que quelqu'un d'autre puisse faire quelque chose que vous ne vous permettriez pas de faire. À cause de cela, vous avez sûrement de la difficulté à faire des arrangements clairs, même par écrit.

À l'avenir, je vous suggère d'accepter de prêter votre argent avec votre coeur. Ne décidez pas pour l'autre personne. Soyez aussi précis que possible quant aux conditions de ce prêt. Si l'autre ne peut accepter vos conditions, vous n'êtes pas obligé de lui prêter votre argent. Avoir des engagements clairs et précis évite bien des émotions. J'ai déjà écrit un autre livret à ce sujet qui s'intitule ***"La responsabilité, la culpabilité et l'engagement"***.

Si vous ne pouvez pas prêter avec votre coeur, donnez-vous le droit de dire non et ne faites pas de prêt. Par contre, réalisez que ce n'est pas à cause de l'autre personne, mais bien à cause de votre attitude.

Si, malgré un engagement précis, l'autre ne le respecte pas, posez-vous la question suivante: *"Si je récolte le fait que quelqu'un ne respecte pas son engagement avec moi, quand ai-je semé cela?* Quand ai-je manqué à un engagement envers *moi*-même ou les autres?" Cela vous aidera à devenir conscient d'un aspect de vous que vous n'acceptez pas encore.

Lorsqu'on a des convictions inconscientes qui nous attirent des ennuis et de l'insuccès, comment les transformer pour faire de sa vie une réussite à tous points de vue?

Bravo! Vous êtes déjà conscient que ce sont vos croyances intérieures qui causent votre manque de succès. Si vous désirez en savoir plus sur les croyances, vous pouvez vous référer au troisième livret de cette collection qui couvre le sujet dans sa totalité.

Ce que vous pouvez faire dès maintenant est de changer votre comportement dans les domaines où vous n'obtenez pas les résultats désirés. Une croyance mentale engendre un certain comportement qui lui-même influence directement les résultats obtenus dans votre vie. Étant donné que vous n'aimez pas les résultats obtenus jusqu'à maintenant, en changeant votre comportement vous mettez toutes les chances de votre côté pour changer la croyance non bénéfique qui l'accompagne. Expérimentez différents comportements excepté celui que vous aviez précédemment. C'est par ces expériences que vous arriverez à vos fins.

Je suis toujours à court d'argent. Je sais que la pensée crée, mais il m'est difficile de penser abondance quand j'ai de la difficulté à rencontrer mes obligations financières. Pouvez-vous me donner un truc pour arriver à croire que je vis dans l'abondance ici et maintenant?

Quand une personne me demande un truc pour quoi que ce soit, je sais tout de suite qu'elle veut des résultats rapides et ce, grâce à un truc, c'est-à-dire grâce à quelque chose venant de l'extérieur, dans le "faire". C'est une façon de vouloir contrôler les résultats. Ce ne sont pas des trucs qui vous aideront à faire une transformation durable.

L'abondance ne se mesure pas seulement en fonction de l'état de votre portefeuille. Elle se mesure avec tout ce que vous possédez. L'argent n'est qu'un des moyens d'échange permettant de se procurer des choses. Prenez-vous le temps régulièrement de faire la révision de tout ce que vous avez et de dire merci pour cette abondance?

Vous devez mettre de l'énergie sur ce que vous avez et ce que vous voulez et non sur ce que vous n'avez pas. Pensez abondance! Par exemple, lorsque vous trouvez une pièce de monnaie par terre, qu'on vous fait un compliment ou un sourire, ou que l'Univers vous envoie du beau soleil, etc., dites: *"Wow! C'est l'abondance!"*. Regardez bien l'abondance se manifester davantage dans votre vie. C'est cela le pouvoir de créer sa vie!

Avez-vous une affirmation à suggérer dans les cas de peurs qui bloquent l'abondance dans ma vie? Mes vieilles idées reviennent encore parfois et elles nuisent à mes bonnes intentions.

L'affirmation que j'ai beaucoup utilisée durant certaines périodes difficiles est la suivante:

"Je crois en la grande richesse divine qui est en moi et dans laquelle je baigne et j'y puise tout ce dont j'ai besoin en tout temps et en tous lieux."

Il est bon de répéter une affirmation sans arrêt au moment où vous perdez le contrôle de votre imagination et que les peurs prennent le dessus. Cependant, faire une affirmation mentale n'est pas suffisant pour effectuer une transformation durable. C'est toujours à recommencer. Vous devez en plus faire des actions dans le plan physique pour arriver à ce que vous voulez, tout en acceptant d'avance qu'il vous arrivera ce qu'il y a de mieux pour vous. Il est très important de ne pas vouloir contrôler les résultats, sinon vous pourriez vous fermer à quelque chose de merveilleux auquel vous n'auriez même pas pensé.

En visualisant que vous baignez dans un océan d'abondance et que vous y puisez en faisant des actions, cela est suffisant. Vous faites votre part dans le monde matériel et votre **DIEU** intérieur se charge du reste.

Que faire pour attirer l'argent dans un couple où l'un est positif et l'autre négatif?

Cette situation est très fréquente dans un couple. Celui qui est positif a l'impression que l'autre bloque tout; c'est donc la faute de l'autre s'il n'y a pas d'abondance. Celui qui est négatif en veut à l'autre de ne pas être réaliste.

En réalité, les deux ont des peurs face à l'argent, mais elles ne sont pas exprimées de la même façon. Par exemple, l'un peut avoir peur de trop changer s'il devient riche tandis que l'autre peut avoir peur de manquer d'argent plus tard. L'idéal est de vous avouer vos peurs respectives. Soyez vrais, ouverts, transparents. Posez-vous la question: *"Que pour*rait-il nous arriver si nous avions beaucoup d'argent?" Ne répondez pas: i "Ce serait merveilleux." Cette réponse indique votre désir et non votre peur. Il y a en vous une peur qui vient d'une croyance intérieure qui est plus forte que votre désir. Voilà pourquoi votre désir ne se manifeste pas.

Vous pourriez aussi essayer de vous remémorer ce que vos parents respectifs croyaient au sujet de l'argent. Disaient-ils des choses comme ceci: *"Nous ne sommes pas riches, mais nous sommes du bon monde"* (Croyance: les riches sont de mauvaises personnes). Ou, *"Nous ne sommes pas riches, mais nous avons la santé."* (Croyance: les riches sont malades). Ou, *"Maudit argent, ça n'apporte que des* problèmes!" (Croyance: l'argent apporte des problèmes).

Quand vous aurez découvert vos peurs respectives, donnez-vous le droit de les avoir. En général, c'est la personne positive dans le couple qui a le plus de difficulté à voir ses peurs car, étant toujours super positive, elle ne se donne pas le droit d'en avoir.

Ensuite, chacun de votre côté, notez votre attitude et vos paroles face à l'argent et décidez de les changer. J'ai bien dit "décidez". C'est la partie la plus importante. Sentez cette décision en vous. Utilisez votre volonté pour vous apporter de belles choses et non le contraire. Le troisième livret de cette collection porte sur les croyances et vous donne des moyens très concrets pour arriver à changer une croyance.

Mon conjoint fait de mauvaises affaires financièrement. J'en subis automatiquement les conséquences: angoisse, inquiétude, peurs, etc. Comment réagir?

Si votre conjoint a une façon de gérer les finances qui est tout à fait différente de la vôtre, il est important que vous fassiez un accord en ce qui concerne la gestion de votre argent. Vous pourriez avoir votre propre argent que vous pourriez gérer à votre guise et il ferait la même chose de son côté. Quand on apprend à laisser l'autre personne être ce qu'elle veut être, il devient important d'avoir une certaine indépendance financière. Ce qu'il fait avec son argent le regarde et il apprend à travers ses expériences. Vous devez apprendre à lui laisser cet espace. Par contre, assurez-vous d'avoir une certaine sécurité financière pour vous-même en attendant d'avoir développé une plus grande sécurité intérieure. Vous n'apaiserez pas vos inquiétudes en continuant à vouloir le changer parce que vous n'y arriverez pas. Réglez votre propre situation et celle de votre mari sera plus facile à vivre.

Je n'arrive pas à garder un emploi que j'aime. Je suis un bon travaillant, mais c'est toujours à recommencer. Pourtant, je veux avoir ma maison,

faire des sorties en famille, vivre aisément plutôt que d'être toujours serré. Pourquoi cela m'arrive-t-il?

Si on vous rejette de vos emplois, c'est sûrement qu'une partie de vous vous rejette, vous fait croire que vous ne valez pas grand-chose. Une personne qui se rejette ainsi dégage une vibration de rejet. Elle se fait donc facilement rejeter dans sa vie. Vous a-t-on réellement rejeté quand vous étiez jeune? Si oui, il est temps pour vous de réaliser que ceux qui vous ont rejeté ne faisaient qu'exprimer leurs limites. Ils ne vous disaient pas que vous n'étiez pas correct ou pas aimable.

Si l'on ne vous a pas réellement rejeté mais que vous vous êtes quand même senti rejeté, hâtez-vous de changer cette croyance non bénéfique à votre sujet.

De plus, du rejet qui se manifeste surtout au travail est généralement une répétition de ce que l'on a vécu à l'école. Vous sentiez-vous rejeté parce que vous n'aviez pas de bonnes notes scolaires? Si c'est le cas, consolez-vous parce qu'avec l'ère du Verseau, c'est l'intelligence qui passe avant l'intellectuence. Être un premier de classe n'est pas nécessairement un signe d'intelligence. Ça peut être seulement de l'intellectuence. Être intellectuent, c'est "avoir la capacité de mémoriser". Être intelligent, c'est savoir ce que nous avons besoin de savoir au moment où nous en avons besoin sans l'avoir nécessairement appris à l'avance. Prenez donc contact avec votre intelligence et soyez-en reconnaissant.

Pour terminer, je vous conseille de vous faire

au moins dix compliments par jour et de vous faire un devoir de devenir conscient de la personne extraordinaire que vous êtes.

Quand vous cesserez de vous rejeter vous-même, ce rejet cessera aussi autour de vous.

Je ne comprends pas le miroir entre mon ami et moi. Je dois toujours boucler le budget. Même s'il travaille beaucoup, tout ce qu'il s'attire sont les huissiers, les comptes et les dettes. Cela me dérange énormément. Que puis-je faire pour retrouver l'abondance?

Le miroir est que vous avez tous les deux peur de manquer d'argent et que ni l'un ni l'autre n'accepte cette peur. En ce qui vous concerne, vous vous forcez pour être très disciplinée face au budget. Devoir se forcer est signe que l'on se contrôle. Votre ami, quant à lui, se laisse plus facilement envahir par sa peur.

Une telle situation demande que chacun ait son propre budget. Vous devez arrêter de prendre la responsabilité du budget de votre ami. Exprimez-lui vos limites et jusqu'où vous pouvez aller face aux conséquences que vous êtes prête à subir s'il ne peut gérer son propre budget. Personne ne vous oblige à subir les conséquences des décisions de quelqu'un d'autre.

De plus, je vous réfère aux réponses des questions précédentes qui sont semblables à la vôtre.

Comment puis-je arrêter d'avoir peur de manquer d'argent?

En allant plus en profondeur pour découvrir

quelle est votre peur véritable. Avez-vous peur de ce que les autres vont dire si vous manquez d'argent? Ou de ne pouvoir répondre à un besoin vital comme la nourriture, régler vos factures, etc.? Que peut-il vous arriver de si épouvantable quand vous manquez d'argent? Est-ce le fait d'avoir à en emprunter ou de demander de l'aide ailleurs? Si oui, quel est le pire qui peut arriver dans un tel cas?

Voilà quelques questions pour aller plus en profondeur. Pour faire ce travail, vous pouvez vous faire aider par quelqu'un d'autre si vous le désirez mais choisissez quelqu'un qui peut vous poser des questions sans juger vos réponses.

Lorsque vous aurez identifié la peur véritable, je vous suggère de lire le troisième livret de cette collection intitulé i **"Les Peurs et les Croyances"**, pour savoir quoi faire avec.

Je suis vendeuse et je suis souvent en contact avec des gens qui ne me paient pas. Pourtant, je paie toujours mes comptes. Pouvez-vous m'aider à faire le lien, à voir pourquoi je récolte cela?

La théorie du miroir dit que ce que nous voyons chez les autres est un reflet de ce que nous sommes. Être dérangée quand les autres ne paient pas leurs dettes envers vous est donc une indication qu'une partie de vous aimerait ne pas toujours avoir à payer ses dettes. Donc, parce que vous croyez qu'il n'est pas bien de ne pas les payer, vous vous forcez sûrement très souvent pour tout payer à temps. Aussi, si jamais il vous arrive de ne pas pouvoir payer à temps, vous vous rendez probablement très malheureuse.

Ces situations sont tout simplement là pour vous aider à découvrir une partie de vous que vous n'acceptez pas. C'est en acceptant cette partie, en vous donnant le droit parfois de ne pas payer vos dettes tout de suite que ces situations se transformeront. Attention! Cela ne veut pas dire d'arrêter de payer vos dettes. Vous devez plutôt apprendre à vous aimer, à ne pas vous juger négativement même si parfois vous ne pouvez pas payer tout de suite.

Il se peut aussi que ce soit autre chose. Ne pas payer ses dettes est un manque à un engagement. Est-il possible que vous ne respectiez pas vos engagements dans d'autres domaines? Soyez vraie envers vous-même. Devenir consciente de ce qui se passe dans votre vie quand vous ne respectez pas vos engagements vous aidera à avoir plus de compassion pour quelqu'un d'autre dans la même situation. Le fait d'accepter que vous êtes tout de même une bonne personne même si vous ne gardez pas toujours votre parole est le moyen le plus rapide pour vous donner le droit d'être ainsi parfois et d'arriver à respecter vos engagements.

Quand vous arrêterez de juger les personnes qui ne respectent pas leurs engagements, vous n'aurez plus besoin de vous attirer ce genre de personnes dans votre vie. Et même si cela vous arrivait, vous ne les verriez plus du même oeil.

Je désire l'abondance et j'y crois. Mais la réalité est là! Par exemple, quand je désire un objet de valeur mais que ma réalité monétaire ne me le permet pas, que puis-je faire?

On retrouve dans votre question un *"j'y crois,*

mais". Un "mais" ainsi utilisé dénote deux personnalités ou deux croyances contraires en vous. L'une dit: *"Je veux et je crois en l'abondance."* L'autre lui répond: *"Ne rêve pas trop en couleur, tu ne pourras jamais te payer des choses de valeur. Tu ne mérites pas cela; seulement les riches en sont capables."*

Ce genre de dilemme intérieur est très courant chez de nombreuses personnes. C'est toujours la croyance la plus forte qui gagne. Dans votre cas, il semble que c'est la deuxième mentionnée plus haut qui l'ait emporté jusqu'à présent.

Pour arriver à changer cette situation, vous devez faire des actions différentes. Allez-y graduellement. Commencez par de petites choses. Achetez-vous quelque chose qui a une valeur plus grande que ce que vous achetez habituellement. Ça pourrait être un beau savon pour le corps plutôt qu'un savon régulier acheté au supermarché ou une paire de bas qui coûte le double du prix que vous avez l'habitude de payer.

C'est ainsi que vous apprendrez à élargir vos limites graduellement. Nous créons tous nos propres limites et nous avons tous le pouvoir de les changer. Personne d'autre ne peut le faire à notre place. Ce que vous avez obtenu jusqu'ici est le reflet de vos limites intérieures, de vos croyances.

L'être humain est un **DIEU** créateur et dans son monde matériel, il crée selon ses croyances. Jamais personne n'a failli à cette règle jusqu'à présent. Vous créez sans cesse et réussissez toujours à manifester vos croyances. Si vous n'aimez pas ce que vous créez, vous devez donc changer ce à quoi vous croyez. Vous avez ce pouvoir! Pourquoi ne pas l'utiliser?

Comment expliquez-vous les personnes qui s'endettent ou qui font une faillite? Se peut-il que ces personnes le veuillent inconsciemment?

Tout ce qui nous arrive n'est pas toujours voulu, même inconsciemment; c'est plutôt la manifestation de ce à quoi nous croyons. Pour certaines personnes, être endettées veut tout simplement dire "faire des investissements". Elles savent que c'est un moyen pour elles d'élargir leurs limites et d'aller de l'avant. Elles se sentent très bien d'agir ainsi. Pour d'autres, c'est un cauchemar. Ces personnes ont à apprendre à changer la perception qu'elles ont de l'argent; celui-ci prend beaucoup trop de place dans leur vie. Leur bonheur dépend trop de l'état de leur portefeuille.

Faire faillite est souvent une expérience dont la valeur est sous-estimée. En effet, elle fournit à la personne qui la vit l'occasion de repartir à neuf, de se créer une nouvelle vie tout en appréciant ce que cette expérience lui a enseigné.

Cette attitude est beaucoup plus intelligente et productrice que de nourrir sans cesse des remords ou des regrets. Une telle attitude ne fait qu'empêcher cette personne d'aller de l'avant.

Il est très important de toujours se souvenir que nous sommes sur cette planète pour vivre des expériences et que nous devons les utiliser pour grandir et non pour se détruire.

Je suis mère de deux fillettes de un an et quatre

ans. Je ne travaille pas à l'extérieur parce que je crois que ma place est à la maison avec mes filles. J'étudie en enseignement afin de faire un retour sur le marché du travail lors de l'entrée scolaire de mes filles. Mon problème est que j'ai de la difficulté à accepter le fait de ne pas être autonome financièrement lorsqu'il s'agit de pourvoir à mes besoins personnels, comme lorsque je veux prendre un cours, m'acheter une robe, etc. Que puis-je faire?

Dans votre question, vous ne parlez pas d'un conjoint, mais je présume que vous en avez un et qu'il est le seul soutien financier de la famille.

Lorsque vous avez décidé de rester à la maison, en avez-vous parlé avec votre conjoint?

Y a-t-il eu un engagement précis avec lui? Est-ce son désir aussi bien que le vôtre que vous demeuriez à la maison? S'il préfère que vous travailliez car son salaire suffit à peine pour tout payer mais que vous décidez tout de même de ne pas travailler, il est difficile de lui demander plus d'argent. C'est à vous de trouver un autre moyen pour obtenir de l'argent supplémentaire. Vous pourriez travailler soit à la maison ou soit à l'extérieur à temps partiel quand votre conjoint est à la maison pour s'occuper de ses filles.

Si par contre, il y a un surplus dans le budget mais que vous avez de la difficulté à demander de l'argent à votre conjoint ou à utiliser une partie de ce surplus, vous devez changer cette attitude. Cette dernière vient d'une croyance non bénéfique pour vous puisqu'elle ne vous apporte pas de joie dans votre vie.

Doutez-vous de votre valeur? Croyez-vous qu'être à la maison dans le but de vous occuper des intérêts de la famille n'est pas assez important pour mériter un salaire? Si votre mari avait à payer une gardienne pour les enfants, une femme de ménage, une personne pour les courses, la couture, etc..., avez-vous calculé combien cela lui coûterait? J'aime beaucoup employer l'expression "ingénieur domestique" pour désigner une femme à la maison. C'est un métier en lui-même.

Établissez donc votre valeur et faites-en part à votre mari. Tentez ensemble d'arriver à une entente pour que vous ayez votre propre salaire à chaque semaine que vous pourrez utiliser comme bon vous semble.

On dit que tout existe en abondance et qu'il suffit de se servir en faisant une demande à l'Univers. Comment se fait-il que, malgré mes demandes répétées, je n'arrive pas à l'abondance financière?

Il y a sûrement des peurs en vous; plusieurs croyances bloquent vos demandes. Ce à quoi vous croyez est plus fort que ce que vous voulez. Pour devenir conscient de ces croyances inconscientes qui vous bloquent, je vous suggère de lire le troisième livret de cette collection portant sur les croyances.

Vous dites que pour avoir de l'abondance, il faut donner. Si je gagne le million, dois-je le donner ou, du moins, en donner une bonne partie?

Premièrement, les gens qui attendent de gagner à la loterie pour avoir de l'argent avouent qu'ils ne croient pas en eux, en leur créativité. Ils veulent que cela vienne de l'extérieur. Je ne parle pas de quelqu'un qui achète un billet de loterie à l'occasion, mais plutôt de ceux qui en achètent régulièrement à chaque semaine.

La loi de cause et effet dit qu'il faut donner pour recevoir; ceci est vrai dans tous les domaines. Celui qui donne facilement de ses biens, de son argent, de son amour, démontre un état de prospérité. Il sait au plus profond de lui qu'il y en aura toujours. C'est cette conviction qui crée de plus en plus d'abondance dans sa vie.

Ceux qui se croient obligés de donner lorsqu'ils gagnent un bon montant d'argent ne sont pas dans un état de prospérité. Ils donnent parce qu'ils se sentent coupables d'avoir gagné ce montant. Ils ne croient pas qu'ils l'ont eux-mêmes créé dans leur vie. Ils croient que cela vient de l'extérieur et que, en conséquence, cela doit retourner à l'extérieur. Ces gens-là, en général, ne gardent pas leur fortune très longtemps.

Voici une petite histoire que j'aime bien à ce sujet. Un jeune homme gagne deux millions et en donne à toute sa famille, ses grands-parents et ses amis. Lui-même se paie plusieurs fantaisies. Deux ans plus tard, il ne lui reste déjà plus rien et il demande à ceux à qui il a donné de bons montants d'argent, de lui en prêter. Ils lui répondent: *"Non, je ne veux pas t'en prêter car tu es trop dépensier et tu ne sais pas comment gérer ton argent."*

Dans les lois de l'abondance, on considère comme don celui qui est fait avec joie, sans attentes, seulement pour faire plaisir à l'autre. Quand vous donnez par obligation ou pour éviter de vous sentir coupable, votre motivation n'est pas bonne. Un tel don, étant motivé par la peur, n'est pas un don véritable. Pour vérifier si vous faites un vrai don, posez-vous la question suivante: *"Si la personne à qui je donne de mon argent l'utilisait d'une façon tout à fait contraire à ce que je crois ou à ce que je* veux pour elle, cela me dérangerait-il?" Si la réponse est non, voilà un vrai don! Si la réponse est oui, soyez vrai avec vous-même et l'autre personne. Dites-lui que vous avez des attentes et que vous lui donnez votre argent avec certaines conditions. Quand les attentes et les conditions sont acceptées de part et d'autre, il peut y avoir de l'harmonie.

De cette façon, vous devenez conscient que vous ne pouvez pas toujours donner sans attentes. En vous acceptant, en vous donnant le droit d'être ainsi pour l'instant, vous arriverez de plus en plus souvent à faire de véritables dons.

Quand il y a une crise économique, est-ce dû au fait que la majorité en a décidé ainsi?

Selon certains dires, ces crises économiques, qui semblent se reproduire environ à tous les sept ans, seraient plutôt décidées par les grands financiers qui gèrent les finances de la planète Terre. Que ceci soit vrai ou non n'est pas tellement important. Ce qui importe vraiment est que nous profitions de cette situation pour vivre une expérience enrichissante.

De telles situations nous forcent à développer notre volonté, notre foi et à faire davantage d'actions. Ceux qui se laissent influencer, qui se plaignent de la situation et qui ne font rien d'autre qu'attendre que cela se replace par le biais de moyens venant de l'extérieur, sont bien malheureux. Ils ne profitent pas de cette occasion qui leur est donnée pour développer leur créativité.

Pour ma part, j'ai traversé deux crises économiques depuis le début d'Écoute Ton Corps et j'ai constaté que, même si ça n'a pas toujours été agréable, ces expériences ont été très enrichissantes pour moi et mon équipe. Cela nous a permis de reconsidérer notre façon de gérer l'argent, de faire moins de gaspillage et de vivre davantage notre moment présent. Ce sont de telles situations qui permettent aussi de vérifier la force et la bonne volonté de chacun.

Vous dites que l'argent est une énergie qui circule. Que pensez-vous des personnes qui se privent maintenant pour en amasser plus pour leur futur? Que faire pour perdre cette peur d'en manquer?

Ceux qui amassent de l'argent par peur d'en manquer, ne croient pas que l'argent est une énergie en circulation. Ils croient plutôt que c'est un bien qui ne passe qu'une fois. Ils ne croient pas non plus en leur pouvoir de créer. Ceux qui y croient savent que s'ils ont réussi à faire beaucoup d'argent une fois, ils pourront toujours en refaire une autre fois.

Ne pas avoir confiance en ses capacités de créer, c'est comme se couper les deux jambes physiques. Cela affecte aussi les corps émotionnel et mental car ne pas croire en soi apporte une vie remplie de doutes, de stress, d'angoisse et de peurs. Souvenez-vous aussi que tout l'argent que possède une personne ne peut la rendre heureuse car le bonheur doit venir de l'intérieur. Voilà pourquoi tant de personnes ont des problèmes aux jambes en vieillissant.

Le meilleur moyen pour perdre cette peur de manquer d'argent plus tard est de se souvenir que notre pouvoir de créer ne s'éteint pas avec l'âge. Au contraire, il peut se développer davantage à chaque année.

Vous répétez souvent qu'il est important de vivre son moment présent. Cela veut-il dire de tout dépenser notre argent maintenant et ne pas économiser pour plus tard?

Non, pas du tout. Vivre son moment présent, c'est aimer ce que nous vivons à chaque instant, c'est mettre de la joie dans ce que nous faisons et voir l'utilité de chaque expérience vécue.

Celui qui économise en se privant maintenant, par peur d'en manquer plus tard, ne vit pas son moment présent. Aussitôt qu'une peur motive quelqu'un, ce dernier ne vit pas son moment présent. Il vit donc dans le futur.

Celui qui est bien dans ce qu'il vit ici et maintenant tout en économisant dans le but d'avoir une réserve au cas où une opportunité intéressante se présenterait, vit pleinement son moment présent.

C'est la même chose pour une personne qui prend deux heures de son temps pour planifier ses prochaines semaines de travail ou ses futures vacances. Si elle fait cette planification avec plaisir et non dans l'inquiétude, elle vit son moment présent.

J'ai réglé la succession de ma mère dernièrement parce que j'étais l'exécutrice testamentaire. Il y avait une maison en jeu que j'ai fait évaluer et que j'ai vendue. Mon frère voulait l'acheter, mais en payant moins cher que sa valeur. Je l'ai donc vendue à quelqu'un d'autre. Mon frère et sa femme sont mécontents et ne me parlent plus. Je sens que j'ai bien agi; alors pourquoi réagissent-ils ainsi? Ce qui m'affecte vraiment est de ne plus voir mes nièces. Que faire?

Il est évident que votre frère croit qu'à l'intérieur de la famille, on doit faire des prix spéciaux. Pour lui, avoir pu acheter cette maison au prix qu'il offrait aurait été une preuve de votre amour à son égard. Vous avez une façon différente de démontrer votre amour. Dans cette situation, ce qui était important pour vous était de bien exécuter la tâche dont vous étiez chargée.

Votre frère met donc de l'importance dans le "avoir" tandis que vous la mettez dans le "faire". L'un n'est pas mieux ou pire que l'autre. Vous êtes tout simplement différents et il est important que vous acceptiez vos différences.

Vous êtes-vous exprimée ainsi à votre frère et à votre belle-soeur? Êtes-vous capable de vous placer dans leur peau et de ressentir ce qu'ils ont pu vivre? Cet exercice vous aidera à développer votre compassion.

Partagez-leur ce que vous vivez, révélez-vous, soyez vraie. Écoutez-les bien, faites-les parler plutôt que de tenter d'expliquer votre comportement. Ce moyen ne peut que vous être bénéfique et vous apporter de très bons résultats.

Lorsque l'on parle des dettes, qu'en est-il des petites sommes d'argent que certaines personnes nous doivent? Est-il bon de penser que si j'ai 200$ à prêter à quelqu'un, je ferais mieux de le lui donner plutôt que de créer des ondes de manque vis-à-vis l'autre personne?

Avoir une dette n'équivaut pas nécessairement à un état de manque. Une définition du mot "dette" que j'aime bien est celle qui dit qu'une dette est "le degré de confiance que les autres ont en nous".

Une dette devient non bénéfique quand on s'inquiète à son sujet. Cela arrive habituellement chez les gens qui s'endettent plus que ce qu'ils croient valoir. Ils doivent se poser la question: *"Si on me demandait de rembourser mes dettes immédiatement, ai-je assez de biens pour les couvrir?"* Si la réponse est oui, ils doivent avoir autant de confiance en eux que les autres en ont eue en leur prêtant.

De plus, ce n'est pas le fait de prêter de l'argent à quelqu'un d'autre qui peut causer un état de manque chez cette personne. Cet état, tout comme la prospérité, ne peut venir que de l'intérieur de la personne elle-même.

Quand une personne vit dans un état de manque, vous pourriez lui donner un gros montant d'argent et cela ne changerait rien à sa condition. Elle serait dans le même état, elle aurait la même peur. Elle seule peut changer sa façon de penser.

Il est sûr que si vous voulez donner, vous pouvez le faire, mais faites-le pour le plaisir de donner et non pour changer l'état de l'autre.

Est-ce possible d'être illimité, c'est-à-dire de pouvoir vraiment vivre sans aucune limite?

Dans notre monde matériel qui comprend les niveaux physique, émotionnel et mental, c'est impossible. Ces trois plans sont limités. Cependant, chaque être humain crée ses propres limites selon ses croyances, ses expériences et sa volonté. Prenons un exemple physique: une personne peut soulever un poids maximum de 50 kilos. Cela étant sa limite, elle ne peut soulever un poids plus élevé. Une autre personne qui s'entraîne depuis longtemps arrivera facilement à soulever des poids deux ou trois fois plus élevés.

C'est la même chose au point de vue émotionnel et mental. Avec la pratique et les expériences, les limites s'élargissent mais ceux qui veulent les dépasser trop rapidement risquent de craquer et de tomber malade. Tout apprentissage se fait graduellement.

En ce qui concerne l'abondance dans votre vie, c'est la même chose. Plus vous vous pratiquerez à penser, parler et agir selon les lois de l'abondance, plus vous élargirez vos limites.

Le monde spirituel est la seule dimension qui ne contient aucune limite. Nous connaîtrons cet état illimité quand le monde matériel arrêtera de diriger notre vie, quand nous saurons au plus profond de nous que nous sommes **DIEU**.

J'ai un mari qui me parle seulement d'argent et de ses biens. Je trouve cela fatigant. Que faire pour ne plus l'entendre?

Savez-vous ce qui vous dérange le plus dans

cette situation? Trouvez-vous qu'il porte trop d'importance aux choses matérielles? Souvenez-vous que lorsqu'une personne en critique une autre, c'est elle-même qu'elle critique. En effet, une attitude qui nous dérange chez quelqu'un est là pour nous indiquer que lorsque nous avons cette même attitude, nous ne nous acceptons pas.

Se peut-il que vous soyez, vous aussi, très attachée aux biens matériels mais que vous ne vous donnez pas le droit de l'être? Se peut-il que vous vous contrôliez en faisant semblant que l'argent et les biens ne sont pas importants pour vous? Si oui, vous n'êtes pas vraie avec vous-même. Si vous n'êtes pas certaine ou même si vous êtes sûre que non, je vous suggère de demander aux personnes qui vous connaissent si elles ont remarqué votre attachement à certains biens. Tant que vous n'accepterez pas votre propre attachement, ce dernier prendra de plus en plus de force. Cela vous demandera toujours plus de contrôle pour ne pas vous montrer sous votre vrai jour.

Donnez-vous donc le droit d'être attachée au matériel. Acceptez-vous ainsi pour le moment, sans vous juger ou vous critiquer. C'est ainsi qu'on développe de l'amour pour soi. Il vous sera ensuite beaucoup plus facile d'accepter votre mari. Ce n'est sûrement pas en vous bouchant les oreilles ou en essayant de changer votre mari qu'une transformation s'opérera. Ce n'est qu'en passant par l'acceptation qu'il y aura une nette amélioration dans votre relation de couple. La théorie du miroir est la plus efficace, à mon avis, pour arriver à cette acceptation. J'explique davantage cette notion du miroir dans le couple dans le premier livret de cette collection intitulé ***"Les Relations Intimes"***.

J'ai bien mal au bas du dos et au nerf sciatique. On m'a dit que ces malaises ont un lien avec l'argent. Est-ce vrai?

En effet, les malaises du bas du dos et du nerf sciatique ont un lien soit avec l'argent, soit avec les biens matériels.

Voici la description métaphysique de ces deux malaises telle que mentionnée dans mon livre *"Qui es-tu?"*:

Les problèmes au bas du dos sont ceux d'une personne qui s'en fait trop pour sa vie matérielle: elle s'inquiète inutilement au sujet de son travail, de ses biens, de son argent, enfin de tout ce qui la relie à l'aspect matériel, au monde physique de la Terre. Cette attitude provoque souvent une tristesse réprimée, un manque de joie. La partie du dos située à la base de la colonne vertébrale, qu'on appelle le sacrum, est une partie très importante pour notre appui, notre soutien. La personne qui a besoin de nombreux biens matériels pour se sentir soutenue dans la vie s'attire beaucoup de problèmes dans cette région de sa colonne vertébrale. Les biens matériels doivent être utilisés en vue de nous rapprocher de Dieu et non pas pour qu'on se sente soutenus. Ton soutien, c'est toi-même! Tu as reçu tous les pouvoirs au monde pour créer ta vie, quoi qu'il arrive! Quand une personne se sent non soutenue, c'est la plupart du temps parce qu'elle est insoutenable. Il s'agit là d'une personne qui désire que les autres fassent toujours ce qu'elle veut, quand elle le veut, comme elle le veut. Après un certain temps, les gens n'ont plus le goût de soutenir une personne aussi inflexible. Si tu as besoin de soutien dans ta vie, il est important d'accepter que les autres te soutiennent à leur manière. Si tu n'acceptes pas que cela soit fait autrement qu'à ta façon, fais-le toi-même! De toute façon, tu peux arriver à faire tout par toi-même en développant une attitude plus positive et moins dépendante envers les autres. Les problèmes de bas du dos révèlent aussi une personne qui accuse souvent les autres de ses propres difficultés. Ces problèmes peuvent encore se retrouver chez une personne qui détermine sa valeur humaine à partir de ses possessions matérielles, au lieu de s'accepter comme un être spirituel qui a la capacité de créer sa vie et qui existe pour aimer de manière inconditionnelle.

Le nerf sciatique est le plus long nerf du corps humain. Il commence dans la partie lombaire de la colonne vertébrale, traverse la fesse, la cuisse et la jambe, pour aboutir au pied. Une névralgie dans le nerf sciatique indique une peur de manquer d'argent et une insécurité face à l'avenir. Pour connaître ton degré de possession et de dépendance face à l'argent, pose-toi la question suivante: "Si je perdais mon travail ou chaque sou que je possède aujourd'hui, quelle serait ma réaction?" Ce mal arrive souvent chez des personnes qui se font accroire que l'argent ou les biens ne sont pas si importants. Le message est très précis: il est grand temps de découvrir que ta vraie sécurité est un sentiment intérieur plutôt que de croire qu'elle se mesure par la valeur de tes possessions.

Nous avons vendu notre maison que nous n'aimions pas du tout, avec beaucoup de pertes.

Nous avons pris le temps de chercher une nouvelle maison qui répondait à nos besoins au niveau de la ville, la mentalité des gens, l'environnement, la nature et la maison elle-même. Nous avons trouvé et acheté cet endroit idéal, mais je sens maintenant cela très lourd financièrement. Pourquoi est-ce ainsi quand je me sens si bien dans cette maison?

Vous vivez tout simplement un manque de confiance en vous et en l'Univers. Avez-vous tourné la page sur la perte encourue sur l'autre maison? Se peut-il que vous ayez décidé de croire qu'avoir une maison est un moyen de perdre de l'argent? Si oui, oubliez au plus vite cette perte! L'argent ne se perd pas. Il circule tout simplement d'une main à l'autre. Vous avez été assez intelligent pour écouter vos besoins en trouvant un endroit merveilleux où vivre.

Soyez-en donc reconnaissant, comptez vos bénédictions à tous les jours et mettez de l'énergie sur ce que vous voulez plutôt que sur ce que vous ne voulez pas.

Comment agir avec mon mari qui n'a pas les mêmes désirs que moi? Je voudrais avoir plus d'argent pour me gâter, mais lui dit toujours que nous sommes chanceux, que nous en avons déjà plus que les autres dans la famille et que je devrais me contenter de ce que j'ai. Je ne peux accepter cela.

Votre mari ne fait que vous exprimer ce à quoi il croit. Selon lui, il n'a pas le droit d'en demander plus. Lui avez-vous demandé ce qu'il lui arriverait s'il en demandait plus ou ce qu'il pense de ceux qui en demandent toujours plus? S'il répond qu'il se sentirait égoïste ou injuste d'en demander plus, c'est ce à quoi il croit. Tant qu'il y croira, il n'en aura jamais plus. Par contre, cette croyance lui appartient et vous ne pouvez la changer pour lui. Lui seul peut le faire et quand bon lui semblera. Vous devez accepter que vous êtes différents l'un de l'autre.

Pour votre part, si vous voulez plus d'argent, il ne tient qu'à vous de vous en faire arriver plus pour ainsi pouvoir vous payer des gâteries. Vous ne pouvez dépendre de votre mari ou de quelqu'un d'autre pour satisfaire vos désirs. Si vous êtes capable de le désirer, vous avez tout ce qu'il faut pour le manifester. Quand et comment vous y arriverez dépend du degré de votre désir, de votre volonté et des actions que vous ferez.

J'ai l'intention de m'acheter un restaurant. C'est un rêve que j'aimerais réaliser depuis longtemps. Je commence à y croire de plus en plus. Je prends des cours et je m'informe, mais j'ai très peur de foncer. J'ai aussi peur de perdre. Que me conseillez-vous?

Par votre question, il est facile de constater que vos peurs sont plus fortes que votre volonté en ce moment. Tant qu'il en sera ainsi, vous ne pourrez avoir votre restaurant. Quand vous pourrez dire: *"Je veux un restaurant"* et non *"J'aimerais avoir un* restaurant", vous aurez déjà plus de chances d'ar*river à réaliser votre rêve.*

Je constate aussi que vous êtes conscient de vos peurs. C'est déjà un bon pas de fait. Votre prochaine étape est d'accepter ces peurs, leur donner le droit d'être là pour le moment, en sachant que tout ce qui vit est temporaire. L'acceptation est le moyen le *plus rapide pour éliminer une peur. En attendant, continuez tout de même à faire des actions.*

Je vous suggère aussi de vous demander: "Quel est le pire qui pourrait m'arriver en achetant un restaurant? Que pourrais-je perdre?". Quand vous aurez votre réponse, planifiez ce que vous pourriez faire si effectivement cette perte se produisait. Vous verrez qu'il existe toujours une solution à tout.

J'ai moi-même longtemps hésité à me poser une telle question car je croyais que trouver d'avance une solution à un échec était suffisant pour provoquer cet échec. Je ne voulais pas faire de projection ni avoir aucune pensée dite négative. Je me suis finalement rendue compte que ce n'était pas de la négativité, mais plutôt de la planification. Je me rassurais en me disant que j'étais prête à subir les conséquences de ce que j'entreprenais, peu importe les résultats. Cette attitude m'aide depuis à passer à l'action avec plus de confiance.

Il est bon aussi de vous demander: *"Avec ce restaurant, suis-je prêt à faire face à un grand succès? Qu'est-ce qui pourrait arriver advenant un grand succès?"*

Une fois toutes les possibilités envisagées, pour le meilleur ou pour le pire, mettez-les de côté et passez à l'action en agissant au meilleur de votre connaissance. Tant que vous n'agissez pas par peur, vous savez que vous êtes sur la bonne voie.

N'oubliez pas non plus de dire à votre **DIEU** intérieur: *"Je veux un restaurant, je fais tout pour l'obtenir, mais que ta Volonté soit faite. Je te laisse décider du résultat final."*

Souvenez-vous que nous sommes tous sur Terre pour vivre des expériences. Il n'y a donc pas d'échecs, seulement des expériences à travers lesquelles nous avons la chance de grandir.

J'aimerais connaître votre opinion et vos sentiments à l'égard des gens qui font partie d'une pyramide d'argent, quand on sait que la société actuelle interdit ce genre d'action. Est-on vrai lorsqu'on accepte de faire partie d'une telle pyramide?

Pour ceux qui ne savent pas ce qu'est une pyramide d'argent, en voici un exemple: plusieurs personnes versent chacune un montant d'argent; supposons 1000$. Ces mêmes personnes s'engagent à en trouver d'autres qui versent à leur tour le même montant. Quand une personne arrive en haut de la pyramide, elle peut récolter jusqu'à 25 000$, c'est-à-dire 25 fois ce qu'elle a investi.

Je ne suis pas plus en accord avec les pyramides d'argent qu'avec les billets de loterie. La réponse à la question: *"Si je gagne le million, dois-je en* donner?" à la page 37, s'applique aussi aux personnes qui font partie de ces pyramides. De plus, ces personnes risquent encore plus puisque c'est illégal. Toutefois, si quelqu'un me demandait aujourd'hui s'il devrait y adhérer, je lui répondrais de bien vérifier au préalable s'il se sent prêt à subir toutes les conséquences possibles suite à une telle décision.

Vous me demandez si une personne est vraie en acceptant d'adhérer à une pyramide d'argent. Si elle est capable de prendre sa responsabilité en sachant les risques qu'elle prend et qu'elle est consciente de ce qu'elle vit, ressent et apprend dans cette expérience, oui cette personne est vraie avec elle-même.

Quel chakra dois-je ouvrir pour avoir plus d'abondance?

Ce n'est pas en ouvrant un chakra qu'il se produit quelque chose dans le monde matériel. Il doit y avoir une transformation personnelle aux niveaux physique, émotionnel et mental avant qu'une ouverture de chakra se produise.

Les chakras sont les principaux points d'énergie du corps énergétique, celui-ci servant d'intermédiaire entre le corps physique et les autres corps plus subtils de l'être humain.

Le corps d'énergie est donc directement affecté par nos activités physiques, émotionnelles et mentales. Ce sont ces activités qui déterminent si un ou plusieurs chakras fonctionnent de façon harmonieuse ou s'ils sont bloqués.

Comment se fait-il que je me sente très bien avec des personnes très distinguées, que j'aime les belles choses dispendieuses et que je me sente dévalorisée dans un entourage simple?

Il n'y a aucun mal à aimer le fait d'être entourée de belles personnes et de belles choses. L'important est de vous dcmander pourquoi. Est-ce parce que vous croyez qu'être distinguée et avoir des choses dispendieuses démontrent que vous avez du succès? Si oui, vous êtes trop attachée aux apparences et cela vous demande d'exercer sans cesse un certain contrôle pour y arriver. Vous devez difficilement accepter de ne pas toujours être belle ou distinguée.

L'idéal est d'aimer la beauté simplement parce que celle-ci vous rappelle **DIEU** dans toute sa splendeur. Si c'était votre cas, vous ne vous sentiriez pas dévalorisée dans un entourage simple. Vous ne feriez que constater un manque de beauté, selon vos propres critères. Ce qui ne vous paraît pas beau peu paraître très beau pour d'autres personnes. Vous devez accepter le fait que les humains sont différents les uns des autres, qu'ils n'ont pas tous la même notion de beauté et qu'il y en a pour tous les goûts sur notre planète.

Apprenez donc à voir le plus de beauté possible dans tout ce qui vous entoure, même si ce n'est pas toujours à votre goût. Voyez **DIEU** partout, même si parfois vous vous retrouvez dans un endroit que vous trouvez moins beau ou avec des gens que vous considérez moins distingués. Sachez que tout est temporaire.

Comment convaincre mon conjoint qu'il pourrait arrêter d'avoir deux emplois pour payer nos dettes tout en nous faisant arriver l'argent nécessaire pour pouvoir enfin profiter et de cet argent et de sa présence? Il n'y croit pas du tout.

La première étape pour vous est d'accepter que votre conjoint et vous êtes deux personnes dépendantes: votre conjoint dépend de l'argent et vous dépendez de sa présence. Regardez à quel point sa présence vous apporte réconfort et bonheur et réalisez que dans son cas, c'est l'argent qui lui procure la même sensation.

En vous donnant le droit à tous les deux d'avoir vos dépendances respectives, vous en arriverez à un compromis. Vous n'avez pas besoin de le convaincre de changer ou d'adopter votre point de vue pour vous faire plaisir. Votre point de vue est le vôtre, et le sien est le sien. Parlez-en entre vous et réalisez que votre conjoint agit par amour. Pour lui, c'est une marque d'amour que de vous apporter de l'argent. Votre marque d'amour à vous, c'est de lui apporter votre présence. Vous pourriez par exemple lui dire: *"Comment pourrions-nous arriver tous les deux,* tout en tenant compte de nos dépendances pré*sentes, à trouver un terrain d'entente? Toi, tu veux faire plus d'argent et moi, j'ai besoin de ta présence."*

Il est aussi important de prendre vos dettes en considération. Êtes-vous si endettés que cela? Y a-t-il moyen d'arranger vos paiements pour arriver avec un seul salaire? Ou pouvez-vous de votre côté aller chercher un revenu supplémentaire en travaillant aux mêmes heures que votre mari? Ainsi vous aurez et l'argent et la présence. Ensemble, je suis assurée que vous pouvez atteindre un juste milieu.

Que pensez-vous du déficit du gouvernement fédéral?

Le gouvernement d'un pays est le reflet de ce qui se passe chez la majorité des habitants de cc pays. Présentement, le gouvernement fédéral gère son budget comme la plupart d'entre nous: en s'endettant toujours plus.

Quand la société changera, le gouvernement changera. Nous sommes le gouvernement!

Si je reçois un gros montant d'argent et que je le place à la banque au lieu de le faire circuler, est-ce que je ferme la porte à l'abondance?

Tout dépend de la motivation derrière cette décision. Est-ce par peur d'en manquer plus tard? Si oui, vous fermez effectivement la porte à l'abondance. Si c'est tout simplement parce que vous ne savez pas encore quoi faire avec cet argent et que vous le placez en attendant de le savoir, c'est tout à fait différent. On peut facilement savoir si on prend ou non une bonne décision pour soi en vérifiant si cette dernière est motivée par une peur.

J'ai un mari qui a une peur bleue de manquer d'argent même s'il a un travail permanent et même s'il a une conjointe qui a une sécurité d'emploi. Que faire et que lui dire?

Avez-vous déjà essayé de le faire parler de ses craintes, tout simplement? Lui avez-vous demandé s'il s'est posé des questions à ce sujet, s'il y a réfléchi? Son père avait-il peur de manquer d'argent? Si oui, comment se sentait-il, enfant, quand il voyait son père avoir peur? L'a-t-il jugé? Lorsque nous avons jugé nos parents, nous finissons toujours par devenir comme eux. Il serait intéressant de faire parler votre mari sans toutefois chercher à le raisonner ni à lui faire la morale. Écoutez-le, posez-lui d'autres questions et accueillez-le dans son expérience. De cette façon, vous l'aidez à devenir plus conscient et à réaliser que sa peur n'est pas réaliste mais plutôt imaginaire.

C'est son imagination débordante qui lui joue des mauvais tours. Il se rend malheureux et s'il continue à alimenter sa peur, elle aura de plus en plus de pouvoir dans sa vie. Demandez-lui comment il se sent avec cette peur. Est-il conscient de son ampleur? Ce n'est peut-être pas du tout évident pour lui. Dites-lui qu'il se vend de bons livres sur le sujet. Vous pouvez aussi lui suggérer de suivre un cours ou s'il préfère, une thérapie personnelle pour apprendre à dépasser ses peurs.

Quand quelqu'un vit une telle peur, voyez l'enfant à l'intérieur de cette personne. Étant petit garçon, votre mari a possiblement vécu une grande peur qu'il a refoulée au plus profond de lui. C'était tellement douloureux pour lui à l'époque qu'il ne s'est pas permis de la vivre jusqu'au bout et elle est encore là, bloquée à l'intérieur de lui.

Vous dites que faire le vide est une des lois de l'abondance. J'ai fait un ménage complet de ma garde-robe et j'ai le désir de la refaire à neuf. Je n'arrive pas à me décider car j'ai peur d'y passer toutes mes économies. Je me dis que je peux attendre mais j'ai un point au milieu du dos. Est-ce un message qui me dit de le faire?

Faire le vide veut dire faire circuler les biens afin de créer de la place pour du nouveau. Ceci s'adresse particulièrement aux personnes qui gardent un tas de choses qu'elles n'utilisent même pas par peur d'en manquer un jour lorsqu'elles en auront peut-être besoin.

Il est suggéré de vérifier régulièrement les choses qui n'ont pas été utilisées depuis un an et de les vendre, les jeter ou les donner. Quelqu'un d'autre pourra au moins en profiter, que ce soit des vêtements, des meubles, des souvenirs, de la nourriture, etc. Vos biens deviennent ainsi une énergie qui circule plutôt qu'une énergie stagnante, sans mouvement.

Je vois que vous avez déjà fait ce ménage. Bravo! C'est déjà un bon pas de fait! Par contre, il n'est pas dit que vous devez remplacer tout ce que vous avez laissé aller tout de suite. Laissez l'Univers s'en occuper pour vous. Dites-lui: *"Voilà, il y a maintenant de la place pour du nouveau! Je compte sur toi pour me guider vers ce nouveau!"* En réalité, vous venez de donner un ordre à votre **DIEU** intérieur, avec tout son pouvoir de créer.

Par la suite, soyez alerte à ce qui vous arrivera. Quelqu'un vous offrira peut-être de beaux morceaux de vêtements, vous entendrez parler d'une vente finale, vous achèterez un nouveau morceau ici et là, etc. Cela doit se faire sans efforts et sans inquiétude.

Votre point au milieu du dos est un message que vous ne vous supportez pas assez dans votre décision. Ce malaise vous dit de vous donner le droit de vouloir garder un peu de vos économies et de ne pas chercher à tout renouveler votre garde-robe tout de suite. Refaire votre garde-robe ne doit pas être un poids sur votre dos. Apprenez à laisser venir les choses à vous et à lâcher prise sur le "quand" et le "comment". Arrêtez de vouloir décider de tout cela à l'avance et vous serez surprise des résultats.

J'ai perdu 200,000$ et j'ai dû faire faillite. Pourquoi? Que dois-je faire pour reprendre ce que j'ai perdu et en faire plus?

J'ai déjà expliqué dans une autre réponse le pourquoi des faillites. (voir page 34)

D'après votre question, je ressens que vous n'avez pas accepté cette faillite. Tant que vous persistez à regretter le passé, vous vous fermez à la nouvelle énergie d'abondance qui pourrait circuler dans votre vie, mais qui passe à côté de vous parce que vous vous êtes fermé.

Vous ne pouvez pas reprendre ce que vous avez perdu puisque vous n'avez rien perdu. L'argent que vous dites perdu est tout simplement en circulation ailleurs en ce moment. Si le ciel est couvert une journée et que vous ne voyez pas le soleil, est-ce parce qu'il est perdu? Non. Vous savez qu'il est là et que vous pourrez en profiter aussitôt que les nuages disparaîtront. De même, l'argent est toujours là; aussitôt que vos peurs, vos croyances (les nuages) seront écartées, vous pourrez en profiter à nouveau.

Tournez maintenant la page en reconnaissant ce que vous avez vécu lorsque ce montant de 200,000$ a circulé temporairement dans votre vie. Sachez qu'il y en a toujours plus en circulation.

Faites une liste de tout ce que vous avez appris grâce à cette expérience de faillite et allez de l'avant en étant reconnaissant pour ce que vous avez appris.

Comment m'y prendre avec une personne qui vérifie toujours ses heures de travail et sa commission ainsi que les heures et la commission des autres employés?

Cette personne démontre un manque de confiance en elle et en les autres. Vous ne pouvez lui redonner cette confiance. Elle seule peut le faire.

Pour votre part, vous n'avez qu'à constater ce manque de confiance, à avoir beaucoup de compassion pour cette personne et à lui donner le droit d'être comme elle est. Vous avez une bonne occasion pour apprendre à aimer inconditionnellement.

Si sa façon d'agir vous dérange, je vous suggère de vérifier ce qui vous dérange vraiment et d'accepter le fait que ce que vous jugez chez l'autre est une partie de vous que vous n'avez pas encore acceptée. Donnez le droit à cette partie de vous d'exister et vous aurez ainsi beaucoup plus de compassion pour l'autre. Voilà un excellent moyen pour développer l'amour de vous-même.

Si je travaille à sauver de l'impôt, est-ce que je me ferme à l'abondance?

Si vous utilisez tous les moyens permis par la loi pour payer moins d'impôt, j'appelle cela de l'intelligence.

Toutefois, si vous utilisez des moyens contraires à la loi, regardez quelle peur vous motive. Vouloir sauver de l'impôt parce que vous avez peur occasionne effectivement une certaine fermeture à l'abondance.

Souvenez-vous que nous récoltons toujours ce que nous semons. Même si le gouvernement ne se rend pas compte d'une fraude, cela n'empêche pas la loi de cause et effet de se manifester. Cette loi est immuable. Elle se gère par elle-même et est très juste. Quand une personne prend quelque chose de quelqu'un, sans sa permission, un jour quelqu'un d'autre lui prendra quelque chose. Êtes-vous prêt à en subir les conséquences?

Comment faire quand une femme ne travaille pas et que son mari subvient à ses besoins?

Dans votre question, je perçois une non-acceptation du fait que votre mari vous supporte matériellement. Avez-vous demandé à votre conjoint comment il vit cet arrangement? Avez-vous observé ce qui se passe véritablement à l'intérieur de vous? Avez-vous été capable jusqu'ici d'exprimer à votre mari ce que vous vivez face à cette situation?

Il est important de savoir que l'Univers soutient les besoins de tout le monde, mais de différentes façons. Dans votre cas, c'est à travers votre conjoint que vous êtes soutenue. Cela ne durera peut-être pas toujours. Il y a des personnes qui subviennent à leurs besoins à travers leur salaire, leurs propres revenus, d'autres à travers un héritage, des montants d'argent gagnés, etc. L'important est d'être consciente de ce que l'Univers vous envoie et de lui dire merci.

La pauvreté des pays du Sud est causée par l'exploitation des pays du Nord. S'il y a de l'argent en abondance pour tous, comment enseigner aux gens de l'Éthiopie ou de la Somalie la façon de répondre à leurs vrais besoins? Pourquoi toute cette différence?

J'ai déjà répondu à une question semblable au début de ce livret concernant le fait que 50% de la population sur cette planète vit dans la pauvreté. (voir page 22)

Au sujet de l'exploitation des pays du Sud par les pays du Nord, nous en sommes tous responsables. Nous ne pouvons pas blâmer seulement les grands financiers qui ne pensent qu'au pouvoir et qu'à faire de l'argent.

En voici un exemple: les pays du Nord déversent leurs déchets toxiques dans les pays du Sud sous prétexte qu'ils leur donnent l'occasion de faire du recyclage et ainsi créer des emplois. Ces déchets les empoisonnent car ils créent beaucoup de pollution, ce qui ne peut que les affecter directement. Vous personnellement, êtes-vous prêt à modérer sur tous les nouveaux produits que vous utilisez qui créent déchets et pollution comme le plastique, les contenants à aérosol, etc?

Quand il y aura un changement général des habitudes de consommation chez chacun de nous, nous pourrons espérer un changement général au niveau de la planète. Quand chacun de nous aura à coeur l'harmonie de la planète, alors nous serons en mesure de vraiment aider les pays du Sud. Le meilleur enseignement demeure l'exemple donné.

Devenir très prospère financièrement n'implique-t-il pas l'exploitation des gens plus pauvres et plus faibles que nous?

Ce que vous mentionnez est en effet une croyance populaire. Il semble difficile de croire que quelqu'un puisse devenir riche de façon honnête, sans exploiter qui que ce soit. Il n'y a que la personne qui devient riche qui sait réellement, en toute conscience, si elle a profité ou exploité les autres délibérément.

De plus, le mot "exploiter" est très relatif. Par exemple, une personne peut décider que ses services valent tant. Certains peuvent se croire exploités par ce prix tandis que d'autres peuvent trouver cette demande très raisonnable.

En réalité, celui qui se croit exploité est celui qui se laisse exploiter parce qu'il n'a pas pris le temps d'établir ses limites. C'est donc à lui de s'affirmer et d'établir ses limites.

J'ai remarqué que ceux qui vont de l'avant et qui savent faire leurs demandes passent souvent pour des exploiteurs. Ceux qui les jugent ainsi sont ceux qui ont de la difficulté à savoir ce qu'ils veulent et à passer à l'action. Ils envient par le fait même ceux qui en sont capables.

Que faire avec une personne qui nous demande la charité sur la rue?

Les personnes qui quêtent sur la rue sont là pour nous donner l'opportunité de donner inconditionnellement, c'est-à-dire donner même si nous ne sommes pas d'accord avec leur façon de gagner leur vie ou avec ce qu'ils feront de ce que nous leur donnons.

Lorsque je suis arrivée à Montréal à l'âge de 17 ans, j'ai vu des hommes quêter pour la première fois. Cela m'a révoltée. Je les jugeais en me disant: *"Quelle honte! Se laisser descendre aus*si bas! Quel enfer cela doit être que de ne vivre que pour boire de l'alcool ou se droguer et ne même plus être capable de gagner sa vie." Je ne voulais pas leur donner de l'argent car je croyais qu'ainsi j'encouragerais leur vice. Si j'avais été certaine qu'ils auraient pris un bon repas avec mon argent, je leur en aurais donné. Mais comme je me doutais qu'ils boiraient, je ne leur en donnais pas.

Voilà ce qu'on appelle donner avec conditions. J'aurais voulu qu'ils utilisent mon argent de la façon qui me plaisait. Depuis, j'ai appris que ce n'est pas une bonne façon pour s'ouvrir à l'abondance.

Je suggère de donner quelque chose à ces personnes et même de leur donner au moins le double de ce que vous aviez l'intention de donner à prime abord.

Imaginer le bonheur de cette personne quand elle verra le montant d'argent que vous lui avez donné, cela est suffisant pour vous apporter du bonheur à vous aussi. Voilà un vrai don!

Est-ce que les fonds de pension ou de retraite vont contre les lois de l'abondance?

Les fonds de pension ont été établis durant l'ère du Poisson. Une des croyances populaires de cette époque dit que nous devons économiser pour nos vieux jours. Pourtant, nous pouvons constater que tous ces différents genres de fonds de pension sont en période de déclin. Il y a de moins en moins d'argent dans les coffres. Ces fonds sont appelés à disparaître éventuellement.

L'ère du Verseau nous dit de vivre notre moment présent et que ce que nous vivons aujourd'hui détermine notre avenir. Il est très difficile pour la plupart d'envisager l'idée que même durant nos vieux jours, nous puissions continuer à faire de l'argent. C'est parce que nous croyons encore que l'argent est nécessaire pour obtenir quelque chose. L'argent n'est qu'un moyen d'échange parmi plusieurs autres. Il existe bien des façons pour une personne âgée de subvenir à ses besoins.

Je connais plusieurs personnes qui ont véritablement commencé à vivre dans l'abondance seulement après leur retraite, après avoir commencé une nouvelle carrière. Très souvent, c'est après la retraite qu'une personne décide de faire ce qu'elle a toujours désiré. Le secret est d'apprendre à développer sa créativité et à croire en sa grande puissance intérieure.

L'ère du Verseau, c'est l'époque du être, du faire et du avoir. Le "être" doit passer en premier. C'est donc en répondant à nos vrais besoins que le reste viendra naturellement. Cela implique de vivre notre moment présent. Donc, pour savoir si les fonds de retraite vont contre les lois de l'abondance, le meilleur moyen que je connaisse est de vérifier si le fait d'investir votre surplus dans un fonds quelconque vous empêche de réaliser vos rêves du moment. Si oui, ce fonds n'aide pas l'abondance dans votre vie.

Si, au contraire, vous pouvez réaliser vos rêves, vous payer des vacances tout en investissant dans un fonds, cela n'est pas contraire à la loi de l'abondance.

Gagner de l'argent grâce à un moyen légal, tel qu'une saisie, est-il en concordance avec les lois de l'abondance?

Quoi que vous fassiez, que ce soit selon une loi humaine ou spirituelle, le plus important est ce qui vous motive. Les lois humaines ont été créées pour aider les gens à vivre plus en harmonie. Cependant, ces mêmes lois sont en même temps remplies d'injustice car elles ne peuvent prendre en considération ce qui motive chaque personne.

Toutefois, j'ai bien confiance que plus les humains se tourneront vers le divin en eux, plus le système légal s'améliorera avec le temps.

Ce qui détermine le bonheur et l'harmonie d'une personne est ce qu'elle a dans son coeur. Si une personne agit dans le but de profiter d'une situation sans aucune compassion pour l'autre, elle récoltera la même chose éventuellement.

Par contre, une autre personne peut profiter d'une saisie de biens pour les acheter et les revendre en faisant un profit et être en très bonne harmonie avec elle-même. Elle seule le sait. Elle seule connaît sa motivation.

Depuis quelques années, j'ai commencé à travailler sur moi-même et plus je deviens consciente, plus j'évolue, plus j'ai des peurs face à l'argent. Je ne comprends plus rien! Quand je ne me questionnais pas, tout allait bien. Que se passe-t-il? Est-ce normal?

Ce que vous mentionnez est une situation assez fréquente. En travaillant sur vous, vous avez découvert des peurs que vous réussissiez auparavant à refouler au plus profond de vous. Plusieurs personnes agissent ainsi, mais tôt ou tard, ces peurs prennent de plus en plus d'ampleur et finissent par se manifester avec plus de force. C'est pourquoi certaines personnes disent avoir plus peur en vieillissant. Ces peurs ont toujours existé.

Comptez-vous chanceuse d'en être consciente. C'est déjà une bonne partie du travail de fait.

Pour savoir quoi faire avec vos peurs, je vous réfère au livret #3 de cette collection intitulé ***"Les peurs et les croyances"***.

Pour m'aider à devenir plus consciente de ce que je dois changer dans ma vie, j'ai besoin d'aide extérieure pour débuter. Je fais allusion à des cours, des conférences, des livres, mais cela demande d'avoir de l'argent et je n'en ai pas. Que faire?

L'aide dont vous avez besoin en ce moment est comme toutes les autres formes d'aide. Quand vous avez besoin d'un médecin, d'un avocat, d'un garagiste, d'un peintre ou d'un psychologue, cela se paie. Les personnes qui fournissent ces services ont elles aussi besoin de gagner leur vie.

Plusieurs des personnes qui suivent des cours à Écoute Ton Corps vivent des difficultés financières. Celles qui veulent vraiment quelque chose trouvent un moyen d'y arriver. Qui veut vraiment, peut! Cela s'applique à tous les humains, sans exception. Voici quelques-uns des moyens utilisés que j'ai pu observer chez les personnes qui voulaient vraiment:

- Elles font des arrangements de paiement avec nous.
- Elles font du travail pour nous en échange de cours.
- Elles empruntent de l'argent à quelqu'un d'autre.
- Elles vendent quelques objets dont elles n'ont pas vraiment besoin.

- Elles se trouvent un travail à temps partiel pour payer leurs dépenses supplémentaires.

Ces personnes ont toutes un facteur en commun: elles sont décidées. Elles ne disent pas: *"Quand je serai plus chanceuse et que j'aurai de l'argent, je prendrai des cours."* Elles disent plutôt: *"J'ai décidé quels cours je veux prendre et quand je veux les prendre."* Elles les notent à leur agenda, s'inscrivent aux cours et le moyen pour les payer se manifeste ensuite.

Cela me rappelle le premier cours de croissance personnelle que j'ai suivi. J'assistais à une soirée d'information et je me disais: *"Je suis très tentée par ce cours mais malheureusement, je n'ai pas le temps. Un jour, quand j'aurai le temps, je m'inscrirai"*. Au même moment, j'entends l'animateur dire: *"Si ce que j'offre vous plaît, la raison pour laquelle vous ne pouvez pas vous inscrire est exactement la raison pour laquelle vous devez vous inscrire. Ce qui vous empêche est devenu un maître qui dirige votre vie à votre place."* Cette phrase fut un réel choc pour moi. Elle m'a aidée à réaliser que, depuis plusieurs années, je travaillais de plus en plus et que je ne prenais plus de temps pour moi.

Ce cours durait deux fins de semaine consécutives. Même si la fin de semaine représentait les deux jours les plus occupés et importants de ma semaine de travail, j'ai décidé de m'inscrire sur-le-champ, ne sachant aucunement comment j'arriverais à m'organiser. J'y suis arrivée et, sans cette décision, Écoute Ton Corps n'aurait peut-être jamais existé car ce cours fut mon point de départ dans la croissance personnelle et une révélation fantastique pour moi.

Ce que j'ai vécu s'applique aussi à votre situation. Dans votre cas, c'est l'argent qui dirige votre vie. Si votre portefeuille dit oui, vous agissez et s'il dit non, vous vous soumettez. Il n'en tient qu'à vous d'agir différemment à l'avenir afin de transformer cette situation que vous n'aimez sûrement pas.

J'aimerais savoir pourquoi il est si dispendieux de faire une démarche de croissance intérieure et une recherche spirituelle.

En réalité, personne ne peut vraiment répondre à cette question car le coût d'un service dans quelque domaine que ce soit est généralement fixé par la personne qui offre ce service selon les dépenses encourues pour l'offrir. Quand une personne charge un tarif quelconque pour ses services, vous devez aussi prendre en considération toutes les années de préparation, de sacrifices, d'études et de dépenses que cette personne a eu à faire pour arriver à vous rendre ce service.

Aussi, le mot “dispendieux” est très relatif. Pour certaines personnes, une robe ou un habit de 100$ est considéré dispendieux alors que pour d'autres, payer 500$ pour la même chose serait dispendieux. Tout dépend toujours de vos priorités, de vos limites et de la valeur que vous croyez avoir.

Au Centre Écoute Ton Corps, il arrive que certaines personnes trouvent nos services dispendieux alors que d'autres nous disent que les résultats obtenus suite aux cours sont tellement importants pour elles qu'elles ne pourraient mettre un prix sur ce que cela vaut.

Avez-vous remarqué que la plupart des gens trouvent toujours l'argent nécessaire pour s'acheter un téléviseur, le faire réparer ou le remplacer au besoin? Souvent, ces mêmes personnes ne penseraient même pas à utiliser la même somme d'argent pour améliorer leur qualité de vie. Ils préfèrent regarder la vie des autres à la télévision pendant que la leur est vécue dans l'inconscience. Ces gens ne savent même pas qu'ils ont le pouvoir de changer leur vie s'ils le décident. La télévision a ses bons côtés, mais elle a aussi été déclarée le plus grand "hypnotiseur et manipulateur" qui existe.

Voici ce que je fais personnellement et que je vous suggère d'expérimenter dans votre vie. Demandez-vous si le prix demandé pour quoi que ce soit va vous rapporter en échange une valeur ou un résultat acceptable pour vous. Est-ce que cela répond à votre besoin? Si oui, acceptez que vous valez ce prix et donnez-vous le droit de prendre plaisir à répondre à votre besoin. Agir ainsi est beaucoup plus agréable que de juger ou critiquer un prix établi par quelqu'un d'autre qui croît, lui, que son service le vaut.

Chaque fois que vous direz que quelque chose est trop dispendieux, demandez-vous si vous êtes en train de dire que vous ne croyez pas mériter cela. Si tel est le cas, ce n'est pas parce que vous avez une pauvre estime de vous-même que la personne qui vous offre un produit ou un service devrait absorber une perte. C'est plutôt à vous de changer votre croyance.

Si c'est plutôt parce que l'argent est

présentement plus rare dans votre vie et que vous croyez mériter ce produit ou ce service, soyez juste envers l'autre en ne le critiquant pas de trop charger. Si vous le voulez véritablement, même avec peu d'argent, vous trouverez un moyen de l'obtenir. Ceux qui ont la critique facile face à l'argent bloquent l'énergie d'abondance dans leur vie.

Finalement, admirez ceux qui ont une attitude prospère. Voilà un bon moyen pour y arriver vous aussi.

J'ai reçu à quelques reprises des lettres faisant partie d'une chaîne de lettres. Je suis toujours hésitante à savoir si je devrais y faire suite ou non. Est-il vrai que l'énergie collective de tous ceux qui font partie de cette lettre peut m'apporter l'abondance? Qu'en pensez-vous?

Pour ceux qui ne savent pas ce qu'est une chaîne de lettres, en voici la description.

Vous recevez une lettre qui vous demande d'envoyer quelque chose par la poste, en général un petit montant d'argent, à la personne dont le nom apparaît en haut d'une liste d'une dizaine de noms. Quand vous lui envoyez, vous enlevez son nom de la liste et vous ajoutez le vôtre au bas de cette liste. Ensuite, vous devez envoyer cette même lettre à plusieurs personnes (de 5 à 10, selon le nombre spécifié dans la lettre). On vous dit de plus dans cette lettre qu'au moment où votre nom arrivera en haut de la liste, vous recevrez un très gros montant d'argent. On insiste aussi beaucoup pour que vous n'arrêtiez pas la chaîne.

J'ai reçu moi-même plusieurs formes de ces lettres. Ce que j'ai remarqué c'est qu'en général, ces lettres vont même jusqu'à menacer ceux qui arrêteraient la chaîne. Ils donnent des exemples de malheurs qui sont arrivés aux personnes qui ont osé le faire.

Personnellement, je suis complètement en désaccord avec ces chaînes de lettres. Je n'ai jamais vérifié, mais il se peut aussi qu'elles soient tout aussi illégales que les pyramides d'argent. (voir page 50)

Ce genre d'activité n'aide aucunement à devenir créatif. Elle entretient plutôt de faux espoirs et enseigne aux gens d'attendre après quelque chose d'extérieur en plus de créer des peurs chez ceux-ci par les menaces.

Je vous suggère d'ignorer ces lettres quand vous les recevez, même si c'est autre chose que de l'argent qu'on vous demande.

Je suis matérialiste. Peu importe le prix, tout en étant raisonnable, j'achète toujours les plus belles choses, meubles, vêtements, etc. Je me dis: *"De toute manière, tout finit par se payer un jour."* Que pensez-vous d'une personne ayant une telle attitude?

Votre question m'indique que vous aimez vous payer de belles choses et que cela vous rend heureuse. Vous semblez croire aussi que vous les méritez. Bravo!

Cependant, êtes-vous vraiment si matérialiste? Une personne matérialiste ne vit que pour le matériel. Elle a besoin du matériel pour être heureuse. Êtes-vous très attachée à vos belles choses? Si vous perdez quelque chose ou si jamais quelqu'un brise ou prend vos choses, cela vous rend-il malheureuse? Si c'est le cas, vous êtes matérialiste et ce n'est pas bénéfique pour vous car vous recherchez le bonheur à l'extérieur. Ce genre de bonheur est illusoire et ne dure que quelques instants. C'est toujours à recommencer.

L'idéal est d'aimer le matériel, les belles choses, dans un autre but: non pas pour vous apporter le bonheur, mais plutôt pour vous aider à retrouver **DIEU** en vous. Si vous vous voyez ainsi, si la beauté vous rapproche de **DIEU**, vous êtes donc une personne spirituelle.

Le matériel doit être au service du spirituel. L'avoir doit nous servir pour être, pour nous aider à découvrir notre grande puissance intérieure. Voilà la seule façon d'être vraiment heureux.

Lorsque vous dites que l'abondance est une ouverture à DIEU, que pensez-vous de ceux qui ne réussissent pas?

Que veut vraiment dire “réussir”? Réussir sa vie et réussir dans la vie sont deux choses bien différentes. Cette dernière version est largement basée sur des critères de réussite établis par l'humain. Nombreux sont ceux qui croient que réussir c'est avoir beaucoup de succès au travail, la gloire, les honneurs, avoir de l'argent et des biens matériels en abondance. Voilà une description courante de la réussite humaine.

Par contre, on réussit sa vie lorsqu'on est capable d'apprécier chaque expérience vécue, sans regrets, et d'être heureux de tout ce qu'on a appris dans cette vie. Une personne peut réussir sa vie en n'ayant rien de ce qui est mentionné plus haut tout en étant très heureuse. La personne qui peut arriver à marier les deux genres de réussites peut aussi être très heureuse. Il ne faut donc pas mélanger abondance et réussite.

Quand je dis que l'abondance est une ouverture à **DIEU**, je dis plutôt que la vraie abondance, celle qui est bénéfique, est celle qui nous rapproche de **DIEU**. Ceux qui vivent dans l'abondance et ne vivent que pour cela, en oubliant **DIEU**, ne sont pas des personnes prospères car en même temps, elles ont peur de perdre ce qu'elles ont ou peur de ne pas en avoir assez. Elles doivent faire des efforts constants pour toujours en avoir davantage.

Ce que nous devons développer le plus pour être bien est donc une attitude prospère.

Faut-il toujours qu'il y ait des ententes ou des signatures de contrats pour que les gens soient généreux dans leurs échanges?

Être généreux, c'est donner plus que nécessaire. Un vrai acte de générosité, est un don inconditionnel, sans attentes. Je ne vois donc pas pourquoi une signature de contrat serait nécessaire quand quelqu'un veut donner quelque chose.

Toutefois, quand une personne donne mais en voulant quelque chose en retour, il est suggéré d'avoir une entente claire et précise, voire même écrite, entre les parties. Cela évite bien des émotions inutiles.

Selon vous, pourquoi la plupart des gens d'aujourd'hui ne pensent-ils plus à répondre aux

attentes des autres? N'y a-t-il plus de générosité dans ce monde?

Parce que les gens deviennent de plus en plus conscients et ne veulent plus être responsables du bonheur des autres. Quand une personne s'attend à quelque chose de quelqu'un d'autre, elle dit en réalité: "Si tu peux répondre à mes attentes, je serai heureuse." Nous ne voulons plus encourager une telle attitude car elle ne contribue qu'à créer une illusion de bonheur.

Cependant, rien ne nous empêche de vouloir faire plaisir à quelqu'un en donnant généreusement de notre temps, de notre argent ou un conseil mais cela doit venir de notre coeur et non parce que l'autre s'y attend.

Contrairement à ce que vous croyez, il existe encore beaucoup de personnes généreuses, mais leur générosité n'est pas bien reçue des autres car ces derniers ne veulent pas voir le cadeau qu'ils viennent de recevoir. Pourquoi? Parce que cela ne répond pas à leurs attentes.

Nous avons tous beaucoup plus besoin d'apprendre à arrêter d'avoir des attentes que d'apprendre à être généreux. Nous devons aussi apprendre à faire des demandes. Il est beaucoup plus agréable et facile de répondre à une demande qu'à une attente. À ce moment-là, nous pourrons facilement reconnaître la générosité.

À cause de ma "peur du manque", j'ai économisé et accumulé un bon montant d'argent. Comment savoir ce que je dois faire de cet argent maintenant afin de l'utiliser de la meilleure façon

possible tout en allant vers mon plan de vie?

Prenez le temps de vous demander ce qui vous ferait plaisir maintenant. Y a-t-il certaines choses dont vous vous êtes privé à cause de votre peur du manque? Si oui, commencez par acquérir ces choses. Toutefois, allez-y doucement car si vous allez à l'autre extrême en dépensant toutes vos économies, vous vivrez peut-être certaines difficultés. Si jamais cela arrivait, car il est assez fréquent de passer d'un extrême à l'autre, donnez-vous le droit de vivre ces extrêmes. C'est en effet le moyen le plus efficace et le plus rapide pour arriver à trouver votre juste milieu.

Comment puis-je résoudre mon problème avec mon banquier? Mon compte de banque est à découvert et je ne peux absolument pas le contrôler.

Voilà une excellente occasion de vérifier votre capacité de gérer votre vie. On dit que tout problème est toujours accompagné d'une solution. Au lieu de penser au problème, placez plutôt votre énergie sur la solution. Vous découvrirez qu'il est même souvent possible de choisir parmi plusieurs solutions pour un même problème.

La première solution qui me vient à l'esprit est d'aller rendre visite à votre banquier et de lui expliquer votre situation financière. Demandez-lui ensuite ce qu'il ferait à votre place et soyez ouvert à ses conseils.

L'important étant surtout de faire des actions, aussitôt que vous croyez avoir trouvé une solution, passez à l'action. Cependant, tout en agissant, n'oubliez pas de dire à votre **DIEU** intérieur ce que vous voulez. Dites-lui que vous faites votre part, du mieux que vous pouvez, pour rectifier la situation, mais que vous vous fiez à **LUI** pour vous guider vers la solution idéale. Ainsi, vous découvrirez votre puissance intérieure.

Ne soyez pas impatient, car l'impatience engendre de la résistance. Quand vous voulez que les choses aillent vite, c'est parce que vous voulez contrôler et vous ne laissez pas la chance à votre **DIEU** intérieur de vous aider.

Comment puis-je faire une affirmation qui dit que je vis dans l'abondance en sachant que je n'ai pas d'argent? Je ne peux nier la réalité!

Quand vous faites une affirmation, vous devez visualiser et sentir le résultat désiré comme faisant déjà partie de votre moment présent. Vous affirmez que ce que vous voulez est déjà là, à votre portée, tout en sachant que ce n'est pas encore matérialisé dans votre monde à cause de vos croyances qui lui ont bloqué l'ouverture jusqu'à présent.

À force d'affirmer, de visualiser, de sentir et de faire des actions en fonction de ce que vous désirez, ça se matérialisera tôt ou tard.

Le temps nécessaire pour la matérialisation dépend de la force de votre croyance et de la quantité d'énergie que vous mettez sur ce que vous voulez.

Comment vivez-vous la commercialisation de votre enseignement? N'avez-vous pas peur d'exploiter les gens?

Au début oui. J'avais surtout peur que les gens n'en aient pas pour leur argent. J'avais peur d'être jugée. Je me sentais obligée de justifier tout ce qui devait être payé afin de pouvoir bâtir et donner des cours, mais j'ai dû me rendre à l'évidence qu'il est impossible pour quelqu'un qui n'a pas vécu une expérience semblable de pouvoir véritablement la comprendre. Seulement ceux qui sont en affaires ou qui ont déjà tenté de l'être sont à même de comprendre ce qu'implique la mise sur pied et le maintien d'une entreprise.

À présent, l'important pour moi est ce que je vis dans ma conscience. Je sais que nous faisons tout ce que nous pouvons pour attirer les gens chez nous parce que mon équipe et moi-même croyons en ce que nous enseignons. Nous savons que la grande majorité des gens qui viennent chez nous ont des résultats qui dépassent leurs espérances. Il est possible que certaines personnes se croient exploitées mais nous ne pouvons rien y faire. Apprendre à marier la spiritualité et l'argent est une expérience des plus enrichissantes pour ceux qui travaillent dans ce domaine. Je suis bien heureuse qu'un nombre toujours plus grand de personnes réussissent à bien gagner leur vie tout en enseignant l'amour et en aidant d'autres à améliorer leur qualité de vie. Travailler dans ce domaine est un grand privilège parce qu'en enseignant l'amour aux autres, nous nous le rappelons sans cesse.

Par contre, tous ceux qui se lancent dans ce domaine et qui ont peur d'être un entrepreneur ne peuvent en général pas survivre très longtemps.

Quand vous regardez de plus près, vous pouvez constater que toutes les entreprises qui prônent le contraire de l'amour, comme les films, les lectures, les jeux vidéo, etc., où la violence et la peur règnent en maître, sont des entreprises énormes et très commerciales.

Si nous désirons améliorer la qualité de vie sur cette planète, nous devons accepter d'utiliser une certaine commercialisation non pas, cette fois, pour nuire aux gens mais pour les aider. Si le domaine de la spiritualité a toujours peur de s'affirmer, comment arrivera-t-on à faire notre place?

Voilà ce que j'ai appris en onze ans de gestion d'entreprise dans le domaine spirituel, par le biais d'un centre diffusant un enseignement spirituel.

Comment puis-je envoyer de la prospérité à d'autres personnes?

Envoyer de la prospérité par le pouvoir de la pensée est impossible parce que la prospérité est un état d'être qui doit venir de la personne elle-même. C'est aussi illogique que de vouloir envoyer du bonheur à quelqu'un d'autre. Chacun doit voir à son bonheur et à sa prospérité.

Par contre, envoyer de l'abondance, c'est-à-dire la projeter en la visualisant intensément pour l'autre est possible, mais je ne vous le suggère pas. Premièrement, cela demande beaucoup de votre énergie et deuxièmement, vous ne devez jamais arrêter car même si l'autre reçoit une bonne somme d'argent, s'il n'a pas acquis une attitude prospère, cet argent s'envolera vite.

De plus, comment savez-vous que cette personne a besoin d'abondance? Peut-être que cette abondance va, au contraire, lui causer plus de stress et de problèmes qu'autre chose.

Si vous voulez vraiment aider une autre personne, visualisez-la plutôt baignant dans sa propre lumière en lui souhaitant qu'elle reprenne contact avec sa lumière intérieure qui la guidera vers le bonheur. Ce qui constitue le bonheur d'une autre personne n'est pas nécessairement semblable à la vision que vous en avez.

Doit-on obligatoirement passer par des périodes de dettes pour connaître la valeur réelle de l'argent?

Rien n'est obligatoire dans ce monde. Tout vient de nos choix. De plus, je ne crois pas que ce soient les dettes qui nous fassent connaître la vraie valeur de l'argent. C'est plutôt de devenir conscient que l'argent n'est pas un bien, mais un moyen d'échange. Cette prise de conscience peut venir en tout temps, à toute personne: riche ou pauvre, endettée ou non, jeune ou vieille.

La personne qui ne travaille que pour faire de l'argent ne connaît pas la valeur de l'argent ni sa propre valeur. Ce genre de personne juge sa propre valeur selon l'état de son portefeuille. Tandis que la personne qui veut de l'argent pour se procurer ce dont elle a besoin pour créer sa vie reconnaît beaucoup plus sa propre valeur ainsi que celle de l'argent.

Vous dites que la valeur d'une chose est mesurée selon son utilité. Est-ce pour cela que l'on ne reconnaît pas la place des arts et des biens culturels dans notre société si matérielle?

Vous avez touché juste. Pour le moment, c'est la minorité des gens qui voient l'utilité de l'art et de la culture. Ces personnes sont prêtes à y mettre le prix.

Toutefois, vous pouvez garder espoir car avec l'ère du Verseau, ces domaines sont appelés à devenir beaucoup plus importants comme ils l'ont d'ailleurs déjà été dans l'histoire humaine. Nous évoluons par cycles; donc tout passe et revient, dans tous les domaines.

Peut-on vraiment croire que quelque chose est bon pour soi et ne jamais voir cette chose se manifester?

C'est impossible. Si vous y croyiez "vraiment" comme vous le dites, cela se manifesterait dans votre vie. Que veut dire croire pour vous? Vous mélangez sûrement le mot "croire" avec le mot "désirer". Il est fort possible et même fréquent de désirer quelque chose sans jamais l'obtenir.

Ce qui bloque la manifestation de votre désir, c'est qu'au plus profond de vous, vous croyez le contraire de ce que vous désirez. Il est plus difficile de déceler une croyance qu'un désir. Ce dernier découle du plan émotionnel tandis qu'une croyance vient du plan mental qui est le plus subtil des plans dans le monde matériel.

Prenons comme exemple le fait de vouloir gagner à la loterie. Je connais un grand nombre de personnes qui s'achètent des billets régulièrement depuis plusieurs années et qui disent être assurées de gagner un gros montant d'argent un jour. Voilà un désir. Ce que ces personnes ne savent pas, c'est ce à quoi elles croient au plus profond d'elles-mêmes à ce sujet. Si elles voient une autre personne gagner de l'argent ou hériter de quelqu'un d'autre, elles sont souvent les premières à dire: *"Bon! Un autre qui devient riche et qui n'a rien fait pour cela! Ça lui est arrivé tout cuit dans le bec! Il n'a même pas de mérite! Il n'a jamais fait grand-chose et maintenant le voilà très riche! La vie n'est pas toujours juste!"*

Voyez-vous la croyance de ces personnes? Si elles-mêmes gagnaient un bon montant d'argent, elles se jugeraient aussi de la sorte. Elles ne s'aimeraient pas et, de plus, elles auraient peur d'être jugées ainsi par les autres. C'est la raison pour laquelle ces personnes n'auront jamais d'argent facilement. Elles auront donc à travailler fort pour en avoir.

Je viens de citer seulement un exemple de croyance non bénéfique parmi des centaines qui existent au sujet de l'abondance.

Pour vous aider à découvrir votre croyance inconsciente à ce sujet, je vous suggère de lire le troisième livret de cette collection intitulé *"Les Peurs et les Croyances"*.

Comment se fait-il que certaines personnes obtiennent tout facilement, alors que d'autres doivent mener un combat long et ardu pour l'acquisition de ces mêmes choses?

Celles pour qui c'est facile mettent sûrement en pratique la loi de la manifestation. En voici les différentes étapes:

1) Savoir ce que vous voulez.

2) Visualiser votre but ou votre désir comme étant déjà atteint, avec ses conséquences et tout ce que cela implique.

3) Vérifier comment vous vous sentez en visualisant le résultat.

Si vous ne vous sentez pas bien, c'est en général parce que vos peurs sont trop fortes. Dans ce cas, n'insistez pas car ce serait beaucoup plus difficile soit de l'obtenir ou de faire face aux conséquences. Donnez-vous cependant le droit d'avoir ces peurs et acceptez-vous tel que vous êtes pour l'instant sans vous critiquer ni vous juger négativement. Faites-vous confiance en sachant que ce n'est que partie remise.

Si vous vous sentez bien, prenez le temps de bien ressentir toute la joie que vous vivez en voyant votre désir déjà accompli.

4) Passer à l'action, c'est-à-dire faire n'importe quelle action que vous jugez appropriée tout en respectant vos limites.

Avec les étapes mentionnées plus haut, vous mettez en action votre corps mental, votre corps émotionnel et votre corps physique. Ce sont les conditions requises pour manifester quelque chose dans le monde matériel. Toutefois, je vous suggère fortement d'aller plus loin et de faire l'étape suivante qui vous ouvrira au monde spirituel.

5) Dire à votre **DIEU** intérieur que vous faites tout en votre pouvoir pour manifester ce que vous voulez, mais que vous vous en remettez à **LUI** afin qu'**IL** vous guide dans la meilleure direction à prendre pour vous. Acceptez d'avance que quel que soit le résultat en bout de ligne, ce sera ce qu'il y a de mieux pour vous.

Cette étape supplémentaire vous fera découvrir des idées nouvelles pour arriver à votre but que vous n'auriez peut-être pas eues si vous vous étiez fié seulement à votre mental. Celui-ci, n'étant que de la mémoire, ne peut vous guider qu'avec ce que vous avez déjà appris. Il se peut aussi que votre **DIEU** intérieur sache que ce que vous voulez n'est pas bénéfique pour vous. Dans ce cas, il vous guidera vers autre chose d'encore plus fantastique. S'en remettre à notre **DIEU** intérieur est la façon idéale d'être très productif, sans que cela ne soit pour autant difficile.

Les personnes qui ont de la difficulté sont celles qui ont une ou plusieurs des attitudes suivantes:

- Vouloir tout diriger à leur façon.
- Être impatient.
- Être envieux de ceux qui réussissent.
- Croire qu'il faut souffrir pour mériter quelque chose.
- Être victime, c'est-à-dire rechercher l'attention des autres avec des problèmes.

À vous de choisir quelle attitude vous voulez adopter!

Je suis seule avec mon enfant. Je travaille et mon ex-mari me donne une pension alimentaire de 45$ par semaine. Il me demande sans cesse de baisser cette pension en disant que je dois aussi

faire ma part au niveau des dépenses qui concernent l'enfant. Je dois avouer que ce qu'il me donne m'aide beaucoup et je ne sais pas quoi faire. Que me conseillez-vous?

Je suis d'accord avec votre ex-mari que les deux parents doivent payer chacun leur part dans les dépenses. Avez-vous déjà pris le temps de faire une liste des dépenses encourues par le fait d'avoir un enfant à votre charge? Faites votre liste en prenant en considération ce que cela vous coûterait si vous étiez seule sans enfant. Ensuite, comparez avec la liste des dépenses supplémentaires causées par le fait d'avoir l'enfant à votre charge. N'oubliez pas, dans cette dernière liste, d'inclure les frais de vos services à l'enfant. Je vous suggère de montrer ces listes à votre ex-mari.

Si vous calculez que vous dépensez un montant de 90$ de plus par semaine pour votre enfant, vous savez que vous faites vraiment votre part.

S'il y a le moindre doute de votre part que vous profitez de votre enfant pour obtenir de l'argent de votre ex-mari, vous ne pouvez faire autrement que de vous sentir coupable. Cela est suffisant pour l'influencer à vouloir baisser la pension alimentaire.

Quand ce sera bien clair en vous, quand vous saurez que ce 45$ par semaine est bien justifié, la situation se transformera.

Est-ce que l'argent et l'amour, en tant qu'énergies, sont régis par les mêmes lois?

Par votre question, est-ce que vous sous-entendez que quand quelqu'un vit beaucoup dans l'amour qu'il devrait aussi avoir beaucoup d'argent? Si c'est ce que vous voulez dire, je ne suis pas d'accord avec vous. Je vous cite en guise d'exemple les gens qui vivent dans le crime qui accumulent souvent d'immenses fortunes, mais qui sont loin de vivre dans l'amour des humains.

Les mêmes lois régissent le plan spirituel et le plan matériel. La loi de cause et effet est la même tant au niveau spirituel que matériel. C'est ce que les humains font de cette loi qui crée un écart entre les individus, d'où l'impression d'inégalité et d'injustice.

L'argent et l'amour sont tous les deux des énergies en mouvement. Les deux sont des forces capables de grands effets.

Toutefois, l'argent découle du monde matériel et l'amour du monde spirituel. Comme le matériel doit être au service du spirituel, l'argent doit donc être utilisé pour développer davantage d'amour chez l'humain, c'est-à-dire davantage d'acceptation des autres et des situations telles qu'elles se manifestent. Et l'amour doit être utilisé pour nous aider à voir **DIEU** en soi et en tout ce qui vit.

Je vis de l'inquiétude "financière" face à ma vieillesse. Comment dois-je envisager ma vie en ce qui a trait à mon confort ainsi qu'à un appartement où il est agréable de vivre? Je suis une femme qui vit seule.

En mettant en application dès maintenant les étapes de la loi de la manifestation qui ont été mentionnées dans une réponse précédente de ce livret. (voir page 81)

Que pensez-vous des acomptes que nous donnons sur un morceau de linge, une auto ou une maison? Est-ce une bonne idée ou est-ce se placer dans un état de manque?

Donner un acompte est en général une excellente idée. Cela fait partie d'une des étapes de la loi de manifestation (voir page 81). Il ne faut toutefois pas oublier les autres étapes déjà mentionnées dans ce livret.

Quand ça me prend un certain temps à payer ce que je dois et que les intérêts montent, est-ce du gaspillage? Est-ce que cela me ferme à l'abondance?

Tout dépend de la situation et de votre état intérieur.

Si vous vivez au-dessus de vos moyens et que vous vous placez dans une situation très stressante pour arriver à faire vos paiements, je vous suggère d'acheter moins à crédit.

Cependant, si vous vous êtes procuré quelque chose à crédit qui répondait à un grand désir, que vous appréciez beaucoup cet achat et qu'il vous apporte de la joie, le prix n'a pas d'importance. C'est l'utilité de cet achat qui doit être pris en considération.

Je connais plusieurs personnes qui sont incapables d'économiser et pour qui le seul moyen de se faire plaisir au niveau des choses matérielles est de faire des achats à crédit. Tant qu'elles respectent leurs limites et qu'elles vivent ces achats dans la joie, il n'y a aucune fermeture à l'abondance.

J'ai fait une faillite suite à l'achat d'un commerce que j'ai eu pendant deux ans. Je suis consciente que j'aurais pu faire mieux pour réussir, mais que ce n'était pas vraiment ce que je voulais faire dans ma vie. J'avais d'autres buts. Cela me demandait de plus en plus de temps et d'investissements et je n'ai pas pu continuer. Depuis cette faillite, je me sens vulnérable, moins fonceuse, pointée du doigt et très coupable d'avoir échoué. Que faire pour accepter cette expérience et être plus positive comme il est dans ma nature de l'être? Je veux réussir!

Avant de vous déclarer coupable, avez-vous vérifié si vous l'êtes véritablement? Connaissez-vous quelqu'un d'autre qui, après une faillite, ne peut pas dire: *"J'aurais pu agir autrement"?* C'est facile à dire lorsque le fait est accompli! Êtes-vous bien sûre que vous n'avez pas fait au meilleur de vos capacités pour ce commerce, étant donné toutes les circonstances à ce moment-là?

Pour bien vivre cette situation, vous devez changer votre croyance qui dit que "faire faillite est un échec". C'est cette croyance qui vous fait dire que vous êtes coupable et non votre **DIEU** intérieur. Vous devez vous pardonner en vous donnant le droit d'avoir vécu une expérience qui s'est terminée ainsi. L'univers s'est tout simplement arrangé pour mettre un terme à cette étape de votre vie puisque vous ne pouviez pas écouter vos vrais besoins par vous-même. Vous vouliez peut-être prouver quelque chose.

Si vous ne pouvez changer votre croyance, vous devrez prendre la décision de payer tous vos créditeurs même si cela prend le reste de cette vie. C'est un autre moyen pour vous déculpabiliser. Se sentir coupable c'est s'accuser; s'accuser est contraire à l'amour. Voilà pourquoi vous vivez cette situation si difficilement.

Le sentiment de culpabilité est une des plus grandes sources de misère humaine et de maladies. Il est urgent que les humains apprennent à s'en défaire. Se sentir coupable n'est jamais bénéfique. Vous seule pouvez changer cette situation. À vous de choisir quand et comment. Il est bien plus sage de prendre sa responsabilité et d'assumer les conséquences de ses choix plutôt que s'accuser. Le deuxième livret de cette collection porte sur la culpabilité et pourrait sûrement vous aider.

Est-ce que le fait de refuser ce que les autres m'offrent, comme des vêtements ou des choses matérielles, empêche l'énergie de circuler? Est-il mieux de tout accepter et de le redonner à d'autres qui sauraient mieux en profiter?

Quand quelqu'un vous offre quelque chose et que vous savez que vous ne l'utiliserez pas, soyez vrai avec cette personne. Vous pouvez lui dire quelque chose comme: *"Merci beaucoup, mais je ne crois pas utiliser ce vêtement. Si tu connais quelqu'un d'autre qui pourrait l'utiliser, il serait mieux de le lui donner. Par contre, si tu ne connais* personne d'autre, je le prendrai et je trouverai moi-*même quelqu'un à qui le donner."*

Refuser quelque chose de quelqu'un parce que cela ne vous est pas utile ne veut pas dire que vous empêchez l'énergie de circuler. Vous bloquez l'énergie quand vous refusez de recevoir quelque chose qui vous serait utile ou que vous refusez de donner quelque chose qui ne vous est plus utile et qui pourrait l'être pour quelqu'un d'autre.

Vous dites qu'il est bon de se défaire de nos vieilles choses. Dois-je me débarrasser de mes collections antiques que j'adore?

La loi du vide ne dit pas de se défaire de quelque chose uniquement parce que c'est vieux. Elle dit plutôt de s'en défaire quand cette chose n'est plus utile. Si vous adorez vos collections, elles vous sont utiles car les regarder vous apporte de la joie. Tout ce qui procure de la joie est utile en soi.

Quand on me dit: *"Si c'est bon pour ton évolution, tu l'auras"*, je sens que ça bloque en moi. Je doute et je me pose beaucoup de questions: Est-ce que j'en demande trop? Ou pas assez? Suis-je trop exigeante? Suis-je assez ouverte? etc. Pouvez-vous m'en dire plus sur cette expression "Bon pour mon évolution". Est-ce vrai que cela arrive toujours?

Il nous arrive toujours ce dont nous avons besoin pour évoluer sur le plan spirituel et il nous arrive toujours ce à quoi nous croyons dans le plan matériel.

Si vous désirez quelque chose et que vous y croyez vraiment, vous vous le ferez sûrement arriver. Cependant, ce désir ne répond pas nécessairement à un besoin pour votre évolution spirituelle, c'est-à-dire pour apprendre à voir **DIEU** partout. Dans ce cas, la manifestation de votre désir ne vous apportera pas la paix intérieure ou le bonheur. Elle peut même vous créer du stress. Par contre, ce stress est bon pour votre évolution car il est là pour vous faire réaliser que ce à quoi vous croyez n'est pas bon pour vous.

Exemple: vous voulez une belle grande maison parce que vous croyez qu'être propriétaire d'une telle maison est un signe de réussite dans la vie. Si vous y croyez vraiment et que vous faites les étapes de la loi de la manifestation, vous aurez votre maison; mais à quel prix? Une telle motivation n'est bénéfique pour personne car la réussite ne doit pas être mesurée par les choses extérieures. Il y a donc de fortes chances pour que votre nouvelle maison vous cause beaucoup de stress. Sa seule utilité sera de vous aider à découvrir que la croyance que vous aviez n'était pas bonne pour vous.

Pour arrêter d'avoir des doutes et pour savoir si vous agissez selon votre plan de vie, demandez ou faites seulement des choses qui vous aident à devenir une meilleure personne. Posez-vous la question: *"Comment cette chose, cette action ou cette pensée peut-elle être bonne pour moi?"*

J'ai une très ancienne auto, une Lincoln 1959. J'aimerais la conduire, mais les gens me disent que c'est de la folie car elle coûte très cher à conduire. Que dois-je faire? De plus, est-il possible que cela soit la cause de mes problèmes de santé?

En premier lieu, pourquoi avez-vous acheté cette auto? Souvenez-vous que tout ce que vous possédez doit vous être utile. Vous est-elle utile, bien rangée dans un garage? En ne conduisant pas votre auto, vous vous privez d'un plaisir. Il est donc très probable qu'il y ait aussi un blocage dans votre corps. Une maladie est toujours un signe d'un blocage quelconque.

Les gens qui vous conseillent de ne pas dépenser d'argent sur cette auto ne font que vous faire part de leurs croyances. Cette dépense ne leur ferait pas plaisir comme à vous. Suivez donc votre coeur. D'ailleurs, vous ne leur demandez pas de payer l'essence, n'est-ce pas? C'est vous qui paierez pour les dépenses de l'auto. Alors soyez votre propre maître et faites-vous plaisir. Sinon, plutôt qu'être utile et vous apporter la joie prévue, cette auto devient une nuisance et vous cause des problèmes.

Comment puis-je débuter le processus d'abondance? Je ne travaille pas et personne dans ma famille ne travaille. Même si je mets beaucoup de temps à essayer de me trouver du travail, je n'ai aucun résultat.

Il semble plus difficile pour vous de vous trouver du travail que pour la majorité des gens. Il y a sûrement une croyance très forte dans votre famille qui vous empêche de vous trouver du travail. Peut-être croyez-vous que travailler signifie avoir une vie difficile ou ennuyante. Quelle que soit la croyance qui fait que personne dans votre famille n'ait d'emploi, vous devrez la transformer si vous voulez avoir des résultats différents dans votre vie.

Tout ce que je peux vous conseiller est de décider que dès lundi prochain, à 9h le matin, vous avez un nouvel emploi: celui de vous trouver un emploi. Habillez-vous pour être à votre meilleur, sortez votre plus beau sourire et allez d'une compagnie à l'autre pour offrir vos services. Ne soyez pas sélectif. Allez partout. Dites que vous êtes prêt à tout apprendre et à faire n'importe quoi. Il n'y a pas de sot métier. Faites votre part physiquement en allant partout de 9h à 17h à tous les jours, cinq jours par semaine et demandez à votre **DIEU** intérieur de faire le reste. Laissez-lui le soin de décider du meilleur travail pour votre évolution en ce moment.

Aussitôt qu'on vous fera une offre, ne la laissez pas passer. Vous aurez certainement quelque chose à apprendre avec cet emploi-là. Pour combien de temps? Cela n'est pas important. Laissez-vous guider par la suite. Il est toujours plus important de regarder ce que vous pouvez apprendre grâce à ce nouveau travail avant de regarder le salaire et les bénéfices marginaux. Si vous faites vos preuves, vous finirez par avoir le salaire qui vous convient, que ce soit à cet endroit ou à un autre. Il s'agit simplement de commencer quelque part.

Est-ce que le fait de ne pas travailler et de rester à la maison me ferme à l'abondance?

Ce n'est pas le fait de travailler qui ouvre les gens à l'abondance. Je suis sûre que vous connaissez plusieurs personnes qui travaillent et qui sont loin de vivre dans l'abondance. L'abondance vient aux gens qui ont une attitude prospère. Cette attitude vient seulement quand une personne croit en son grand pouvoir de créer sa vie.

Si le fait de demeurer à la maison vous donne l'occasion de créer le genre de vie que vous désirez et que cela vous aide à prendre contact avec toutes vos possibilités, cette décision est sûrement bénéfique pour vous.

Comment ne plus être victime de l'argent et comment faire pour en avoir plus?

Une personne est considérée victime quand elle se plaint sans cesse d'une situation. Je présume par votre question que vous vous plaignez souvent de ne pas avoir assez d'argent. C'est le meilleur moyen pour ne pas en avoir plus à cause de la grande quantité d'énergie que vous mettez sur le fait que vous n'en avez pas assez.

Quoi faire? Le contraire! Simple, n'est-ce-pas? Pour une victime, c'est souvent trop simple parce qu'en général une victime a besoin de drames dans sa vie pour avoir de l'attention. Agir de façon contraire serait d'avoir de la reconnaissance sans arrêt, de dire merci davantage toute la journée pour mille et une petites choses.

De plus, demandez à ceux qui vous entourent de vous le laisser savoir à chaque fois que vous vous plaignez. Vous deviendrez ainsi plus conscient de vos pensées, paroles et actions et cela vous aidera à renverser cette situation plus rapidement. Quand ils le feront, dites-leur merci et ne vous accusez pas. Observez seulement jusqu'à quel point vous étiez devenu victime. En même temps, continuez d'affirmer qu'un jour vous serez en position de maîtrise et de gagnant plutôt que de penser et d'agir en victime.

Que veux-tu dire par abondance spirituelle?

Vous voulez sûrement parler d'abondance divine. Selon les lois spirituelles, tout est là dans l'Univers pour combler les besoins de tout ce qui vit sur la Terre. Il y en a même assez pour assurer un surplus!

Quand on observe la nature et les animaux, il est facile de constater cette abondance. Mais cette abondance est aussi l'héritage divin de l'être humain.

Cependant, nos croyances qui viennent du mental nous empêchent, nous les humains, de réclamer cet héritage. Nous préférons croire ce que dit notre tête plutôt que croire en ce que nous sommes véritablement. En fait, nous avons oublié qui nous sommes. Nous agissons comme des princes héritiers qui, ayant oublié leur nature véritable, ne vont pas réclamer leur héritage.

C'est à chacun de réclamer sa part d'héritage.

Malheureusement, personne ne peut le faire à notre place. Nous devons affirmer ce que nous sommes et décider de passer à l'action.

Y a-t-il du gaspillage dans l'abondance?

Tout dépend de la motivation de la personne qui semble gaspiller. Dans la plupart des cas, le gaspillage est beaucoup plus dans les pensées, c'est-à-dire dans la façon de percevoir de celui qui accuse l'autre de gaspiller.

Selon moi, il y a du gaspillage seulement quand quelqu'un accumule de l'argent ou des biens qui ne s'avèrent pas utiles.

Une personne pauvre qui en regarde une autre possédant cinq résidences peut facilement accuser celle-ci de gaspillage. Mais cette personne gaspille-t-elle vraiment? Peut-être que non. Son statut social demande peut-être qu'elle ait ces cinq résidences. Elle peut être en parfaite harmonie avec les lois spirituelles en vivant de cette façon. Le plan de vie de chacun est différent.

Je considère que personne n'a le droit de décider pour quelqu'un d'autre s'il gaspille ou non. Ce temps et cette énergie devraient plutôt être utilisés pour vérifier ce que chacun gaspille dans sa propre vie. En effet, il y a beaucoup de gaspillage, non seulement matériel, mais au niveau du temps, de paroles dites, de pensées inutiles qui sont souvent encore plus nuisibles.

J'ai fait des démarches et j'ai trouvé un endroit pour ouvrir un centre de médecine douce. Cette voie m'a été indiquée par des guides spirituels. Jusqu'à présent, j'ai peint les pièces dont j'aurai besoin. Il me reste à les meubler et à suivre un dernier cours avant d'ouvrir. Mais voilà, je manque d'argent et je ne peux continuer. Qu'est-ce qui me bloque?

Quand quelqu'un me dit: *"Mes guides spiri*tuels m'ont dit de faire ceci ou cela," je lui suggère toujours d'être sur ses gardes. Le seul guide au monde qui sait exactement ce que vous devez faire est votre **DIEU** intérieur.

Un vrai guide (visible ou invisible) est plutôt là pour vous poser des questions ou pour vous aider à trouver vos propres réponses. Il peut aussi vous encourager dans vos démarches et vous rappeler votre grand pouvoir.

Alors, je vous pose les questions suivantes: *"Êtes-vous bien sûre que c'est ce que vous voulez faire? Devez-vous le faire maintenant? Quelle est votre motivation? Que voulez-vous apprendre sur vous-même avec cette expérience?"*

Si vous êtes assurée que c'est votre voie, continuez à faire des actions régulièrement vers votre but, mais laissez votre **DIEU** intérieur décider du résultat final. Ce sera beaucoup plus facile pour vous.

Quand je demande à mon DIEU intérieur de me faire arriver tel montant d'argent, par exemple 10,000$, pour acheter les choses qui me manquent, est-ce signe que j'ai peur d'en manquer? Ou est-ce signe que je manque de foi en mon DIEU intérieur?

Vous ne faites pas la bonne demande. Vous voulez certaines choses et vous demandez de l'argent. C'est aussi illogique qu'une personne qui veut savoir quelle température il fait dehors et qui demande quelle heure il est. Quand vous faites une demande, vous devez demander ce que vous voulez et non le moyen pour y arriver. Votre **DIEU** intérieur est justement là pour trouver le moyen qui vous permettra d'obtenir ce que vous voulez.

Sachez ce que vous voulez et faites les étapes de la loi de la manifestation telles qu'énumérées dans une réponse précédente. (voir page 81). Souvenez-vous de plus que l'argent n'est pas le seul moyen d'échange vous permettant d'obtenir quelque chose.

Vous n'avez pas beaucoup parlé d'abondance en amour. Je veux savoir ce que je pourrais faire pour "débloquer" et m'attirer un conjoint.

Les lois de l'abondance sont les mêmes pour tous les domaines: amour, travail, biens matériels, etc.

Vous n'avez qu'à mettre en pratique plusieurs moyens déjà suggérés dans ce livret et appliquez-les au niveau d'un nouveau conjoint.

Je suis une personne très raisonnable. Est-ce que cela me coupe de l'abondance?

En général, une personne raisonnable est quelqu'un qui dit: *"Je veux ceci ou je veux faire cela, mais je n'ose pas."* Elle n'écoute pas ses besoins car elle croit que ce n'est pas correct." De plus, une personne raisonnable ne croit pas mériter beaucoup. Si elle se fait trop plaisir, elle s'accuse et se sent coupable.

Alors oui, vous vous coupez de l'abondance car pour être très raisonnable, vous devez bloquer vos désirs. Vous ne créez donc pas votre vie telle que vous la voulez.

Plus vous développerez votre créativité et plus l'abondance affluera dans votre vie.

Mon mari souffre d'insécurité et moi, quand je dépense mes économies, j'en souffre aussi. Si j'en faisais part à mon mari, son moral descendrait beaucoup. Que faire?

Quand vous vous êtes mariée, vous êtes-vous engagée à toujours garder le moral de votre mari élevé? Cela me surprendrait mais si oui, quel engagement! Vous vous demandez l'impossible. J'espère pour vous que vous ne vous êtes pas engagée ainsi.

Vous êtes consciente de votre insécurité et je vous en félicite. C'est déjà beaucoup. Par contre, ne pas vouloir le révéler à votre mari vous demande de vous contrôler; plus vous attendez pour le lui dire, plus grand sera le choc pour lui.

Il est primordial, dans un couple, d'être vrai l'un envers l'autre. Je vous suggère donc de commencer dès maintenant en lui donnant l'heure juste. Allez-y doucement. Faites-lui part que vous ne vous sentez pas aussi en sécurité que vous avez bien voulu le démontrer auparavant. Demandez-lui s'il s'en est déjà douté. De toute façon, il le sait mais il n'en est peut-être pas conscient. En l'aidant à être plus conscient, vous aiderez la situation beaucoup plus que si vous attendez de ne plus être capable de vous contrôler.

Il sera plus facile par la suite de vous aider mutuellement à régler votre insécurité car en étant plus vrais tous les deux, vous aurez plus de force.

Que pensez-vous des impôts? Personnellement, je me dis que rendu à un certain niveau, il est inutile de faire plus d'argent car je le donne presqu'entièrement au gouvernement. Je trouve cela injuste d'avoir à faire vivre tous les paresseux qui vivent aux dépens du gouvernement.

Avec votre attitude, vous ne serez jamais prospère. Un de mes premiers employeurs m'a dit un jour, au moment de payer ses impôts: *"C'est extraordinaire! Le montant d'impôt que je paie cette année est égal à mon revenu de l'an passé."* Cet homme avait une attitude prospère et il est devenu très riche.

Vous devriez, au contraire, être heureux de payer beaucoup d'impôt et que grâce à vous, plusieurs personnes réussissent à survivre! Vous n'avez pas à juger les gens qui vivent aux dépens du gouvernement! Qui sait? Vous aurez peut-être vous-même besoin d'aide un jour et vous serez heureux, lors de la récolte, d'avoir aidé quand cela vous était possible.

Si vous décidez qu'il est inutile de travailler plus ou de faire plus d'argent, vous vous fermez à l'abondance car vous bloquez ainsi votre créativité.

Souvenez-vous que vous ne devez jamais travailler pour l'argent que cela vous rapporte. Ce but n'est pas bon. Vous devez plutôt travailler dans le but de grandir, de développer votre créativité, de découvrir toutes vos capacités et d'avoir la chance de vous dépasser sans cesse. L'argent devient alors une récolte, une récompense pour vos efforts.

J'ai beaucoup de difficulté à accepter l'idée que mon épouse fait un plus gros salaire que moi. Je me sens inférieur. Devrais-je me trouver un deuxième emploi?

Ce que vous vivez vient d'une vieille croyance du temps où les hommes se croyaient supérieurs aux femmes. Il est grand temps que vous laissiez aller cette croyance non bénéfique. C'est d'ailleurs pour vous donner l'occasion de vous défaire de cette croyance, en constatant combien elle ne vous apporte aucun bonheur, que cette situation vous arrive.

Tous les êtres humains ont été créés égaux. Ce qui donne l'impression d'inégalité entre eux est la différence dans leur degré de conscience de ce qu'ils sont. C'est cette différence du niveau de conscience qui les fait agir différemment.

Le salaire, le titre, les biens matériels et l'apparence d'une personne n'ont rien à voir avec le fait d'être supérieure ou inférieure. Je suis d'accord que certains sont meilleurs que d'autres, qu'il est plus facile d'exceller dans un ou plusieurs domaines. Cela ne veut pas dire pour autant qu'une personne est supérieure à une autre.

Avez-vous parlé de ce que vous vivez avec votre épouse? Si non, je vous le suggère. Exprimez-lui exactement ce que vous ressentez en lui disant que cela n'a rien à voir avec elle, mais bien avec ce que vous croyez.

S'il vous est vraiment difficile de vivre cette situation, votre idée d'avoir un deuxième emploi serait peut-être une solution. Pesez bien le pour et le contre avec votre épouse et optez pour la solution qui vous semblera la meilleure. De toute manière, vous ne vous tromperez pas. Vous ne ferez que vivre une expérience de plus qui vous enrichira du fait que vous apprendrez du nouveau à votre sujet. C'est en vivant des expériences que vous saurez ce qu'il y a de mieux pour vous.

Mon mari veut que je fasse un budget et que je le suive. Il dit que je dépense trop inutilement et que si j'avais un budget, nous serions plus prospères. Je crois que faire un budget équivaut à ne pas vivre mon moment présent. Que me conseillez-vous?

Avoir un budget n'a rien à voir avec vivre son

moment présent. Une personne peut très bien vivre son moment présent, qu'elle ait ou non un budget.

Selon mon expérience, je sais qu'il est bon de suivre un budget. Voici pourquoi:

- Cela vous aide à savoir si c'est vous qui êtes maître de vos achats ou si vous vous laissez facilement manipuler par les autres.
- Cela vous donne l'occasion de réviser en détail toutes vos dépenses courantes. Vous pouvez ainsi annuler les dépenses qui ne vous sont plus utiles.
- Cela vous permet de savoir combien il vous restera d'argent au bout du mois pour vous faire plaisir. Vous pouvez ainsi vérifier si vous vous faites véritablement plaisir dans la vie.

Une fois que vous serez habituée de suivre un budget, il vous sera plus facile de budgétiser automatiquement sans avoir nécessairement à le faire par écrit.

Vous croyez que d'acheter tout ce qui vous passe sous la main et ne pas avoir de budget, signifie que vous vivez davantage votre moment présent. Vérifiez ce qui vous fait agir ainsi. Est-ce la peur de manquer quelque chose? Vous ne vivez donc pas votre moment présent. Vous vivez dans le futur, dans le “au cas où”.

La personne qui se fait un budget en ayant une attitude rigide, c'est-à-dire qui ne se donne pas le droit de changer d'idée ou d'ajuster son budget, est aussi le genre de personne qui ne vit pas son moment présent.

Alors pour arriver à avoir un budget et vivre votre moment présent, il est important de vous souvenir que suivre un budget ne veut pas nécessairement dire que vous devez le suivre à la lettre. C'est en ajustant vos besoins du moment que vous découvrirez finalement quel genre de budget vous convient le mieux.

J'aime bien payer toutes mes affaires moi-même. Je me sens mal à l'aise quand quelqu'un veut me payer quelque chose, comme un repas, de l'essence, etc. On me dit que je me coupe à l'abondance avec une telle attitude. Est-ce vrai?

Oui, c'est vrai. L'abondance peut être comparée à une rivière qui coule vers vous. Elle n'arrête jamais et il y a toujours de l'eau dans cette rivière.

Quand vous refusez de recevoir, c'est l'équivalent de vouloir ériger un barrage dans la rivière dans le but d'empêcher l'eau de circuler. Il en est aussi ainsi pour chaque peur que vous avez.

Le fait de vous sentir mal à l'aise dénote une peur chez vous. Savez-vous laquelle? Se peut-il que vous ayez décidé, étant jeune, que vous vous occuperiez de vous-même, par peur de déranger les autres? Ou auriez-vous peur d'être en dette, c'est-à-dire d'avoir à remettre ce que vous avez reçu de l'autre? Quelle que soit votre peur, elle est basée sur une croyance qui n'est plus bénéfique pour vous.

Souvenez-vous que plus on donne et plus on reçoit. Quand vous refusez le don de quelqu'un d'autre, vous l'empêchez de suivre une des lois de l'abondance et vous lui enlevez le plaisir de donner.

Quand vous voulez donner quelque chose à quelqu'un, aimeriez-vous que l'autre refuse? Alors, soyez aussi généreuse envers vous-même et donnez-vous le droit d'aimer recevoir.

Pourquoi dit-on qu'il est plus difficile pour une personne riche d'être heureuse. Est-ce vrai?

Ça dépend. Il peut aussi être très difficile pour une personne pauvre d'être heureuse. Pourquoi? Parce que le bonheur vient de l'intérieur! Le ciel et l'enfer sont des états d'être et non des endroits. Nous pouvons nous croire au ciel ou en enfer même quand nous sommes vivants.

Il semble qu'il est plus difficile pour une personne riche, qui ne l'a jamais été, d'être heureuse. Pourquoi? Parce que le fait d'être devenue riche la fait devenir consciente de peurs demeurées inconscientes jusque-là. Voici les peurs les plus courantes qui peuvent se manifester chez une telle personne:

- Peur de perdre son argent.
- Peur de faire de mauvais placements.
- Peur de combler ses désirs parce qu'elle aurait peur de passer pour une gaspilleuse. Elle se sentirait alors coupable en pensant à tous ceux qui en ont moins.
- Peur de perdre sa famille et ses amis si cette personne s'achète de plus beaux vêtements, une belle voiture, une maison, etc. Elle a peur qu'ils soient jaloux ou qu'ils la traitent de "snob".

- Peur de passer pour une malhonnête car elle croit que la majorité des gens pensent que seuls les gens malhonnêtes réussissent à devenir riches.
- Peur d'être jugée injuste si elle n'en donne pas à tous.
- Peur d'être jugée égoïste si elle garde son argent pour elle.
- Peur d'être harcelée par ceux qui n'en n'ont pas. Elle peut même faire semblant de ne pas avoir d'argent.
- Peur de faire profiter d'elle par le gouvernement à travers les impôts.

Comme vous le voyez, une personne qui vit une ou plusieurs de ces peurs ne peut pas être heureuse. Au contraire, elle se crée un enfer qui devient une prison. Il serait plus bénéfique pour cette personne de ne jamais devenir riche.

L'idéal est de toujours se souvenir que si elle a pu accumuler des biens une fois, elle peut toujours le faire à nouveau. Aussi, elle doit se souvenir que sa vie lui appartient et que personne au monde ne peut réussir à agir de façon à plaire à tous. Alors, pourquoi ne pas commencer par se faire plaisir et vivre son moment présent?

CONCLUSION

Comme vous avez pu le constater dans ce livret, vous n'atteindrez l'abondance sous toutes ses formes que lorsque vous aurez acquis une attitude prospère. Cette attitude doit venir du plus profond de vous-même.

Pour retrouver cette prospérité en vous, car elle a toujours existé, vous devez reprendre contact avec votre grand pouvoir de créer, votre puissance divine.

Il est rassurant de savoir que chaque humain a autant de puissance qu'un autre. Nous avons tous été créés égaux au début des temps. C'est ce que nous avons fait de cette création qui a contribué à l'établissement des différences parmi les humains. C'est pareil comme si tous les enfants d'une même famille avaient reçu un million de dollars à leur naissance et que leurs parents leur avaient laissé le libre choix d'en faire ce qu'ils voulaient. Je suis assurée que cinquante ans plus tard, la situation de chacun des membres de cette famille serait différente, selon les choix faits.

Ce qui est intéressant dans le monde spirituel est le fait que même si nous avons pris une mauvaise direction, l'héritage divin ne cesse jamais. Il y en a toujours en abondance et plus que nécessaire pour tous. Il ne tient qu'à nous de réclamer cet héritage.

Nous devons fermer la porte aux croyances d'hier qui ne nous ont pas apporté le résultat désiré et ouvrir la porte à un monde nouveau: celui de l'amour, la beauté, la santé, l'abondance et la paix intérieure. À nous de choisir!

Devenez conscient de votre grand pouvoir de créer en réalisant que vous créez sans cesse selon vos pensées et vos actions qui sont influencées par vos croyances. Même si vous n'obtenez pas le résultat désiré, en constatant que c'est vous qui créez sans cesse votre vie, vous viendrez à reconnaître et à respecter ce grand pouvoir et vous déciderez qu'à l'avenir, vous ne voulez créer que de belles choses.

N'oubliez surtout pas la loi de cause et effet qui gère votre vie. Elle ne manque jamais à sa tâche. Chaque mot, chaque pensée, chaque action qui sort de vous vous revient. Semez-vous ce que vous voulez récolter? Pensez-vous plus souvent à votre manque d'argent ou de biens matériels ou mettez-vous plus de temps et d'énergie à obtenir ce que vous voulez?

Voici quelques conseils pour retrouver la prospérité en vous.

- Voyez l'argent comme un moyen d'échange et non comme un moyen de vous évaluer.
- Donnez, à vous-même et aux autres, seulement pour le plaisir de donner.
- Recevez des autres en ressentant le plaisir qu'ils ont à donner. Croyez que vous méritez de recevoir.
- Admirez ceux qui ont une attitude prospère.
- Donnez-vous le droit d'aimer les belles choses. Vous vous donnerez ainsi le droit d'avoir l'argent nécessaire pour vous les procurer. Reconnaissez que **DIEU** en vous, qui est la beauté suprême, ne mérite que d'être entouré de beauté.

- Assurez-vous que chaque chose que vous possédez vous est utile. Sinon, donnez-la car le fait de garder quelque chose d'inutile dénote une peur, ce qui vous coupe de l'abondance.
- Prenez l'habitude de bénir tout ce que vous avez et tous ceux avec qui vous entrez en contact. C'est une façon d'apprendre à voir **DIEU** partout.
- Quand vous payez un créditeur, remerciez-le pour le service rendu et soyez heureux à l'idée de lui envoyer de l'argent, ce qui participera à son abondance.
- Utilisez tout ce que vous pouvez pour devenir plus conscient de vos croyances non bénéfiques: vos pensées, les mots utilisés, les actions que vous faites et les personnes qui vous entourent.
- Sachez que votre salaire n'est pas votre seule source de revenus. Il n'est qu'un des canaux qui vous relient à votre source. De plus, vous nc devez pas travailler pour le salaire, mais plutôt pour ce que vous apprenez, pour avoir l'opportunité d'utiliser votre créativité à votre travail.
- Assurez-vous que l'argent ou les biens dans votre vie vous rapprochent de **DIEU** plutôt que de vous en éloigner. Vous rapprocher veut dire que cette abondance vous fait voir **DIEU** partout, vous fait donner davantage et vous fait réaliser votre grand pouvoir de créer. Vous en éloigner veut dire vous créer des peurs telle la peur de perdre ce qui est déjà acquis, de mal investir votre argent ou toute autre peur.

Pour terminer, imaginez-vous baignant dans une rivière qui représente l'abondance dans votre vie. Chaque fois que vous avez peur, c'est comme placer un obstacle qui contribue à bâtir un barrage dans votre rivière. Quelle est la grosseur de votre barrage?

Quand vous arrêtez d'alimenter ces peurs, le barrage déjà créé s'affaiblit à cause de la force de l'eau qui veut aller vers vous. Après quelque temps, l'eau viendra à bout du barrage et vous baignerez à nouveau dans votre rivière d'abondance.

Tout dépend de vous! Tout dépend de la grosseur du barrage déjà en place et si vous continuez de laisser vos peurs vous envahir ou non. Comme vos peurs viennent de vos croyances, il est urgent pour vous d'en devenir conscient. Car même si vous êtes inconscient d'une peur, à chaque fois qu'elle gagne et que vous agissez en fonction de cette peur, vous venez d'ajouter un morceau à votre barrage.

Pour vous aider davantage, je vous suggère de visualiser fréquemment votre barrage et de voir l'eau de la rivière qui arrive à le défoncer et à passer par-dessus. Voyez-vous aussi debout dans votre rivière en train d'accueillir l'eau avec joie.

Surtout, ne lâchez pas, soyez persévérant. Soyez reconnaissant, ayez de la gratitude pour chaque petite chose dans votre vie. Pour vous aider à créer de l'abondance plutôt que du manque, voyez l'abondance partout, dans tous les domaines et dites:

"Wow! C'est l'abondance!"

Notes Personnelle

Notes Personnelle

Notes Personnelle

Notes Personnelle

ÉCOUTE TON CORPS
International

LES ATELIERS

- ÉCOUTE TON CORPS Niveau Un *(2 jours)*
- Autonomie affective *(2 jours)*
- Bien gérer le changement *(2 jours)*
- Bien vivre sa sexualité *(2 jours)*
- Caractères et Blessures *(2 jours)*
- Comment apprivoiser les peurs *(2 jours)*
- Comment développer le senti *(2 jours)*
- Comment gérer la colère *(2 jours)*
- Confiance en soi *(2 jours)*
- Découvrir son chemin de vie *(2 jours)*
- Écoute Ton Âme (*2 jours*)
- Écoute Ton Corps Niveau Deux *(sur vidéo)*
- L'écoute des autres *(2 jours)*
- L'écoute et l'estime de soi *(2 jours)*
- Métaphysique des malaises et maladies *(2 jours)*
- Métaphysique des rêves et de son habitation *(2 jours)*
- Principes féminin et masculin *(2 jours)*
- Prospérité et abondance *(2 jours)*
- Retrouver sa liberté *(2 jours)*
- S'abandonner *(2 jours)*
- Se connaître par les couleurs *(2 jours)*
- Simplifiez vos relations avec les jeunes *(2 jours)*
- Vendre avec coeur *(2 jours)*

FORMATION

- Devenir animateur/conférencier
- Relation d'aide

Nos ateliers se donnent dans différents pays et territoires, notamment au Canada, en France, Belgique, Suisse, La Réunion, Antilles Françaises, Polynésie Française et plusieurs autres. Demandez notre ***BROCHURE D'ACTIVITÉS GRATUITE*** *pour recevoir l'horaire des ateliers dans votre région.*

1-800-361-3834 ou 514-875-1930

Vous désirez avoir un atelier dans votre région? Vous avez des capacités d'organisateur? Vous pouvez maintenant recevoir une animatrice d'Écoute Ton Corps dans votre région. Informez-vous des nombreux avantages qui vous sont offerts pour l'organisation d'un atelier en communiquant avec nous. (voir coordonnées sur page C2)

Les produits "ÉCOUTE TON CORPS"

faciles à commander !

Par téléphone

Composez le:

(450) 431-5336

Ligne sans frais d'interurbain

1-800-361-3834

Par la poste

Utilisez le bon de commande à la fin du livre (page C13)

Par télécopieur

(450) 431-0991

Envoyez le bon de commande à la fin du livre (page C13)

Par Internet

Visitez notre site ***sécure*** au www.ecoutetoncorps.com

Jetez un coup d'œil sur le catalogue des produits et services!

Plus de 100 sujets passionnants

Conférences sur cassettes

Lise Bourbeau saura vous captiver avec les différents thèmes qu'elle aborde, vous faisant réfléchir tout en vous donnant le goût de créer votre vie plutôt que de la subir.

ÉCONOMISEZ	QUÉ.	CAN.	AUTRES PAYS
1 à 4 cassettes	13,75 $	12,79 $	11,95 $
5 à 10 cassettes -10%	12,37 $	11,51 $	10,75 $
11 à 20 cassettes -15%	11,68 $	10,86 $	10,15 $
21 cassettes et plus -20%	10,99 $	10,22 $	9,55 $

Prix à l'unité / taxes comprises
Autres pays: Douanes et taxes locales non incluses

(C-01) La peur, l'ennemie de l'abondance
Les peurs inconscientes qui empêchent l'abondance dans les biens, l'argent, le succès, l'amour.

(C-02) Victime ou gagnant
Comment surmonter la partie victime en vous qui vous empêche d'obtenir ce que vous voulez.

(C-03) Comment se guérir soi-même
Toutes les différentes façons de créer un malaise ou une maladie et comment apprendre à les prévenir.

(C-04) L'orgueil est-il l'ennemi premier de ton évolution?
La description du comportement d'un orgueilleux, le prix à payer quand l'orgueil domine et quoi faire pour maîtriser l'orgueil.

(C-05) Sexualité, sensualité et amour
La différence entre la sexualité, la sensualité, la passion et l'amour véritable.

(C-06) Être responsable, c'est quoi au juste?
Cette conférence a pour but de vous aider à accepter que vous ne pouvez pas être responsable du bonheur des autres; que vous êtes sur Terre pour vous-même et que les autres sont là pour vous aider à vous connaître. Venez découvrir comment être une personne responsable plutôt que de vous sentir coupable.

(C-07) Avez-vous toujours l'énergie que vous voulez?
Grâce à cette conférence, vous découvrirez pourquoi vous manquez parfois d'énergie. De plus, vous recevrez plusieurs moyens pour garder votre énergie aux plans physique, émotionnel et mental.

(C-08) Le grand amour peut-il durer?
Ce qui empêche l'amour de durer et la signification du "don de soi". Divers moyens pour vivre le grand amour plus longtemps.

(C-09) Comment s'aimer sans avoir besoin de sucre
Le grand scandale du sucre depuis 400 ans sur la terre. Les effets du sucre chez l'être humain. Le sucre une compensation à un manque d'amour ou de confiance en soi. Le diabète, l'hypoglycémie.

(C-10) Comment évoluer à travers les malaises et les maladies
La définition métaphysique (cause profonde) de plusieurs malaises et maladies. La différence entre soigner médicalement et soigner métaphysiquement.

(C-11) Se sentir mieux face à la mort
Pourquoi a-t-on peur de la mort? Comment se préparer pour accepter sa mort et celle de nos proches? Quel lien y a-t-il entre la peur de mourir et la peur de vivre? Qu'arrive-t-il à l'âme lors de la mort du corps physique?

(C-12) La spiritualité et la sexualité
Le développement de l'énergie sexuelle. L'influence du complexe d'Oedipe sur notre vie sexuelle. L'homosexualité, l'inceste.

(C-13) Ma douce moitié, la t.v.
L'influence de la télévision dans notre vie. Se connaître à travers les émissions regardées.

(C-14) La réincarnation volet 1
Réponses aux questions sur la réincarnation et le karma. Ce qui se passe à la mort. Le plan astral.

(C-15) Non disponible

(C-16) Prospérité et abondance
Lise Bourbeau expliquera quelles attitudes bloquent l'abondance et comment développer une attitude prospère grâce à plusieurs moyens concrets. La spiritualité et l'argent peuvent-ils cohabiter? La différence entre la prospérité et l'abondance sera aussi traitée.

(C-17) Relation parent-enfant
Avec les enfants d'aujourd'hui, il est difficile d'avoir une relation harmonieuse avec eux lorsque nous utilisons les moyens appris de nos parents. Venez découvrir de quelle façon vous y prendre pour vous faire respecter tout en les respectant.

Bon de commande page C13

Profitez du spécial sur l'achat de 5 cassettes et plus !

(C-18) Les dons psychiques
Que veut dire être psychique? Comment utiliser les dons psychiques. L'intuition. Les enfants hyperactifs, les cauchemars?

(C-19) Être vrai... c'est quoi au juste?
Pourquoi il est si difficile d'être vrai. Comment y parvenir au travail, en société, en famille, avec le conjoint, avec soi-même.

(C-20) Comment se décider et passer à l'action
Ce qui nous empêche de se décider ou de passer à l'action. Comment stimuler notre merveilleux pouvoir de créer.

(C-21) L'amour de soi
L'amour de soi, un sentiment de fierté personnelle et légitime. Pourquoi il est si difficile de s'aimer et de se sentir aimé.

(C-22) La prière, est-ce efficace?
Nos intentions quand nous prions et notre façon de prier. La différence entre une prière et une affirmation.

(C-23) Le contrôle, la maîtrise, le pouvoir.
La différence entre ces trois termes. Où, comment les utiliser et à quel prix.

(C-24) Se transformer sans douleur
Prendre le risque de se transformer malgré les peurs et les douleurs. Expérimenter une nouvelle attitude face à l'amour, à soi-même. Savoir se regarder, être vrai et s'exprimer.

(C-25) Comment s'estimer sans se comparer
Prendre conscience des ravages que la comparaison produit sur nous et comment cesser de se comparer.

(C-26) Êtes-vous prisonnier de vos dépendances?
D'où viennent les dépendances qui rendent les gens esclaves. Comment s'en libérer et devenir notre seul maître.

(C-27) Le pouvoir du pardon
Utiliser le pardon pour se libérer de rancunes. Comment le pardon apporte soulagement et guérison aux niveaux mental, émotionnel et physique.

(C-28) Comment être à l'écoute de son coeur
Le refus d'écouter son coeur pousse notre corps à nous envoyer des messages pour nous ramener sur le chemin de l'amour.

(C-29) Être gagnant en utilisant son subconscient
La différence entre le conscient, l'inconscient et le subconscient. Comment faire resurgir les informations enfouies dans l'inconscient. Comment vous laisser guider par le subconscient.

(C-30) Comment réussir à atteindre un but
Comment atteindre un but vu à travers les péripéties d'un des plus grands buts de Lise Bourbeau: enseigner l'amour.

(C-31) Rejet, abandon, solitude
Pourquoi certaines personnes se sentent rejetées? D'où vient la peur d'être abandonné? La solitude. Comment ne plus se sentir rejeté, abandonné, seul.

(C-32) Besoin, désir ou caprice
Déterminer ce qui nous rend vraiment heureux en identifiant nos vrais besoins. La différence entre désir et caprice.

(C-33) Les cadeaux de la vie
Apprendre à voir dans chaque événement les avantages, le bon côté et les messages qu'ils nous apportent.

(C-34) Jugement, critique ou accusation
Découvrir les bons aspects de la critique et comment l'utiliser pour se connaître davantage. Comment s'exprimer sans juger ou accuser l'autre.

(C-35) Retrouver sa créativité
La créativité n'est pas exclusivement pour les artistes, elle s'exprime dans bien des domaines et de bien des façons. Redécouvrir son côté créatif.

(C-36) Qui gagne, vous ou vos émotions?
Pourquoi les mêmes émotions se répètent sans cesse. Des moyens pour en devenir conscient et comment les éliminer.

(C-37) Comment aider les autres
Les différentes façons d'aider les autres. Comment vivre le détachement et demeurer efficace. Quoi faire si vous vous sentez dépassé par les problèmes de l'autre.

(C-38) Le burn-out et la dépression
Le profil psychologique des gens enclins au burn-out ou à la dépression. La différence entre les deux. Leurs causes métaphysiques et un moyen efficace pour les prévenir ou s'en guérir.

(C-39) Le principe masculin-féminin en soi
La négation d'un de ces deux principes influence notre tendance à vouloir dominer notre conjoint ou à lui être soumis. Créer l'harmonie entre les deux. Une détente dirigée pour découvrir lequel des deux principes est le plus fort en nous.

(C-40) La planète terre et ses messages
Le lien entre les messages du corps et les messages de la Terre. Que signifient les raz de marée, les ouragans, les éruptions volcaniques et autres séismes.

(C-41) Sans viande et en parfaite santé
Connaître les effets de la viande chez l'humain. Comment s'habituer à un régime sans viande tout en écoutant les besoins du corps physique.

Commandez par téléphone pour un service RAPIDE p. C2

Profitez du spécial sur l'achat de 5 cassettes et plus !

(C-42) Développer la confiance en soi

La différence entre avoir confiance et faire confiance. Plusieurs moyens pratiques pour développer la confiance en soi.

(C-43) Comment lâcher prise

La différence entre le contrôle, le lâcher prise et la soumission. Les nombreux avantages du lâcher prise et plusieurs moyens pratiques pour y arriver.

(C-44) Les croyances inconscientes qui mènent notre vie

D'où viennent les croyances. La différence entre celles qui sont bénéfiques pour soi ou non. Se défaire des croyances qui ne nous apportent pas le résultat désiré.

(C-45) Les peurs qui nous habitent

Le pourquoi des peurs. Voir le bon côté de nos peurs et les utiliser à notre avantage. L'agoraphobie. Comment dépasser les peurs.

(C-46) Quand le perfectionnisme s'en mêle

Rechercher la perfection en arrêtant d'avoir peur de se tromper. Lien entre le perfectionnisme, l'orgueil et la peur de dire la vérité. La véritable perfection.

(C-47) Le monde astral

Ce qui se passe dans ce monde subtil et invisible. Comment il manipule l'être humain. Quoi faire pour retrouver son propre pouvoir. Comment utiliser l'énergie astrale à son avantage.

(C-48) Comment vivre le moment présent

Qu'est-ce que "vivre son moment présent", comment y parvenir. Planifier le futur sans en être prisonnier.

(C-49) Êtes-vous libre, libéré ou manipulé?

Comment arriver à la liberté. Vérifier si vous dirigez vous-même votre vie ou si vous êtes constamment manipulé. La différence entre être libre, libéré ou manipulé.

(C-50) Sais-tu qui tu es?

Lorsque vous vivez des peurs, des émotions, des doutes... vous n'êtes plus vous-même. Des moyens pratiques pour apprendre à mieux vous connaître.

(C-51) Qui est ton miroir?

La technique du miroir: le moyen le plus efficace et rapide pour apprendre à se connaître et s'aimer davantage. L'utiliser de façon constructive.

(C-52) Se connaître à travers son alimentation

Apprendre à vous connaître davantage en interprétant vos habitudes alimentaires. Pourquoi vous avez tendance à manger salé, sucré, gras ou épicé.

(C-53) Les prophéties sont-elles vraies?

Comment interpréter les différentes prédictions, comme certaines faites il y a de ça quelques siècles pour la fin du monde en l'an 2000. Ne pas avoir peur et savoir composer avec ces prophéties.

(C-54) Comment se faire plaisir

L'importance de se faire plaisir. Reconnaître ce qui vous fait réellement plaisir et comment le faire... sans vous sentir coupable!

(C-55) Les messages du poids

Découvrir les causes profondes d'un manque ou d'un surplus de poids. Découvrir l'influence et l'impact de vos croyances et de vos pensées sur votre poids.

(C-56) Les ravages de la peur face à l'amour

Découvrir les peurs qui se cachent derrière l'orgueil, la jalousie, la dépendance, la passion et plusieurs autres émotions encombrantes.

(C-57) Quoi faire avec nos attentes

Quand doit-on avoir des attentes. Comment agir quand les autres ont des attentes envers nous.

(C-58) La méditation et ses bienfaits

Tous sur les bienfaits de la méditation. Les différentes techniques et comment la pratiquer dans son quotidien.

(C-59) Comment développer le senti

Ce qu'est le "senti". Développer son senti. Les émotions qui camouflent le senti.

(C-60) Bien manger tout en se faisant plaisir

Bien manger tout en se faisant plaisir et sans vivre de la culpabilité. Quoi faire lorsqu'on a le goût de manger quelque chose dont on n'a pas vraiment besoin.

(C-61) Le couple idéal

Découvrir ce qui cause la plupart des problèmes dans une relation de couple. Des moyens pratiques pour améliorer votre relation avec votre conjoint ou un futur conjoint.

(C-62) Les besoins du corps physique et énergétique

Ce qui nuit au corps physique et énergétique. Pourquoi le manque d'énergie. Des moyens pour être en super forme physiquement et énergétiquement.

(C-63) Les besoins du corps émotionnel

L'importance du corps émotionnel, ses besoins. Les écouter pour arrêter d'être émotif, tout en restant sensible.

(C-64) Les besoins du corps mental

Comment a-t-on perdu la maîtrise du corps mental. Les besoins de ce corps , les écouter et redevenir maître de notre vie.

Bon de commande page C13

Conférences sur vidéo

Québec: *28.70$* avec taxes ***Canada:*** *26.70$* avec taxe ***Autres Pays:*** *24.95$* sans taxes

(C-65) Les besoins du corps spirituel
Être spirituel. La différence entre l'état spirituel, psychique et matériel. Laisser l'être spirituel en soi émerger pour connaître le vrai bonheur.

(C-66) Se guérir en s'aimant
Comment le fait de s'aimer véritablement peut apporter une guérison très rapide tant sur le plan physique, émotionnel que mental.

(C-67) La loi de cause à effet
Apprendre à utiliser cette loi immuable à votre avantage. Comment gérer votre karma.

(C-68) Le message caché des problèmes sexuels
Ce que révèle les problèmes sexuels. L'attitude à adopter pour les transformer.

(C-69) Comment dédramatiser
Comment vivre davantage dans la simplicité et arrêter les drames qui compliquent notre vie. Des moyens pour vivre moins d'émotions en ne dramatisant pas tout.

(C-70) Comment éviter une séparation ou la vivre dans l'amour. (partie 1)
Des moyens concrets pour éviter une séparation. Si elle devient inévitable, comment la vivre dans l'amour en limitant les répercussions sur soi ou l'entourage.

(C-71) Comment éviter une séparation ou la vivre dans l'amour. (partie 2)
Les questions et réponses qui ont suivi la conférence de Lise Bourbeau.

(C-72) Quelle attitude adopter face au cancer
Apprenez quelle attitude adopter si vous ou une personne qui vous est très chère est atteinte de cancer. De plus, venez découvrir les divers messages que cette maladie comporte.

(C-73) Recevez-vous autant que vous donnez?
Ce qu'empêche la récolte dans votre vie. Comment vous ouvrir davantage à l'abondance.

(C-74) Comment ne plus être rongé par la colère
Les effets rongeurs de la colère sur le corps physique, émotionnel et mental. Transformer une colère non bénéfique en une colère bénéfique.

(C-75) Possession, attachement et jalousie
Pourquoi devient-on trop attaché, possessif, jaloux. Comment être détaché sans avoir à renoncer à tout.

(C-76) Soyez gagnant dans la perte
Comment sortir gagnant de la perte d'un être cher ou de quelque chose de précieux. Apprendre quelque chose sur soi à travers la perte.

(C-77) Êtes-vous une personne nouvelle ou traditionnelle
La différence entre les deux. Les avantages d'adopter un mode de vie nouveau et comment y arriver.

(C-78) Dépasser ses limites sans "craquer"
Comment dépasser ses limites au niveau matériel, c'est-à-dire aux niveaux physique, émotionnel et mental, d'une façon saine et harmonieuse.

(C-79) N'ayez pas honte d'être vous-même
La cause profonde de la honte et comment elle se manifeste dans notre attitude et notre corps physique. Comment arrêter d'avoir honte en étant soi-même.

(C-80) S'épanouir et évoluer dans son milieu de travail
Comment choisir un travail qui nous convient. Pourquoi le garder ou non? Les différents moyens pour grandir, d'évoluer et de conscientiser par l'emploi que vous avez.

(C-81) Pourquoi et comment profiter de son temps
Le manque de temps est devenu un problème sérieux du monde moderne. Pourquoi le manque de temps et comment s'organiser pour mieux utiliser le temps consacré au travail, repos et jeu.

(C-82) Savez-vous vous engager?
Il ne peut y avoir de relation intime sans engagement. Comment s'engager et se désengager. Surmonter les difficultés de l'engagement.

(C-83) Accepter, est-ce se soumettre?
La différence entre l'acceptation et la soumission. Que signifie "accepter" véritablement? Les effets extraordinaires de l'acceptation. Comment atteindre l'acceptation inconditionnelle.

(C-84) Avoir des amis et les avantages de l'amitié
Pourquoi certaines personnes ont-elles des amis et d'autres non? Comment se faire des amis. La différence entre l'amitié vécue par l'homme et par la femme. Les critères d'une amitié durable.

(C-85) Vaincre ou en finir avec la timidité
D'où vient la timidité? Les symptômes physiques de la timidité. Comment faire face à

Commandez par téléphone pour un service RAPIDE p. C2

ses peurs et vaincre la timidité. Comment se sortir de la timidité.

(C-86) Pourquoi et comment se réconcilier?

L'explication des différences entre les principes masculin et féminin qui sont la cause de bien des malentendus, rancoeurs et disputes. Les avantages d'apprendre le langage de l'autre pour en arriver à bien communiquer et se réconcilier.

(C-87) La chance est-elle réservée au chanceux?

Pouvez-vous devenir plus chanceux? Est-ce que le karma ou le destin suscite ou limite la chance et la malchance? Peut-on y échapper? Révélation des secrets des gens chanceux.

(C-88) Comment les rêves peuvent vous aider.

Pourquoi vous rêver? Les messages du rêves. Comment vous pouvez utiliser les rêves pour vous guider. Qu'est-ce qu'un rêve éveillé et un rêve prémonitoire. Comment se souvenir de ses rêves.

(C-89) Comprendre et accepter l'homosexualité.

Explications de l'homosexualité. Quels sont les liens entre le complexe d'Oedipe et l'homosexualité. La différence entre l'homosexualité féminin et masculin. Comment faire face au problème de rejet associé à l'homosexualité. Comment être heureux dans l'homosexualité.

(C-90) Comment faire respecter son espace

Savoir reconnaître son "espace" et des moyens pratiques pour le faire respecter. Comment savoir lorsque quelqu'un est dans votre espace et vous dans le sien. Les bienfaits de retrouver son espace vital, autant au plan physique qu'émotionnel et mental.

(C-91) Comment utiliser votre intuition

La différence entre l'intuition, la pensée, le désir et la voyance. D'où vient l'intuition. Des moyens pratiques pour la développer et bien l'utiliser.

(C-92) Quoi faire face à l'agressivité, la colère et la violence

La différence entre l'agressivité, la colère et la violence. Pourquoi vit-on dans un monde où la violence est présente. D'où viennent l'agressivité et la violence. La colère peut-elle être utile. Quoi faire avec sa propre violence et celle des autres.

(C-93) Pourquoi y a-t-il autant d'inceste

Venez découvrir pourquoi le "pattern" de l'inceste se perpétue souvent d'une génération à l'autre. Les différentes souffrances de l'incestueux, du conjoint et de l'enfant qui en est victime. Que peut-on faire pour aider une personne victime d'inceste? L'importance du pardon face à l'inceste.

(C-94) Êtes-vous dans votre pouvoir?

Comment faire la différence entre "être dans son pouvoir" et "vouloir avoir le pouvoir sur les autres". Comment être dans son pouvoir sans déranger les autres et sans devenir orgueilleux. Comment reprendre contact avec votre puissance intérieure pour développer votre pouvoir.

(C-95) Les faux maîtres

Êtes-vous cotre propre maître ou laissez-vous certaines situations diriger votre vie? Comment en devenir conscient et quoi faire pour reprendre la maîtrise de votre vie.

(C-96) Les secrets pour rester jeune

Demeurer jeune longtemps, est-ce seulement une question de génétique ou y a-t-il d'autres causes? Comment agir lorsque le corps ne veut pas suivre les désirs. Comment rester jeune et se sentir jeune.

(C-97) Découvrez ce qui bloque vos désirs

Lise Bourbeau vous aide à découvrir les causes qui vous empêchent d'avoir ce que vous voulez. Elle vous donnera aussi des moyens pour manifester vos désirs sans peur et culpabilité.

(C-98) Découvrez la cause de vos malaises ou maladies

Cette cassette vous enseignera à décoder la cause derrière un malaise physique ou une maladie. Ceci vous permettra de découvrir la cause profonde derrière ces problèmes ou d'aider quelqu'un dans votre entourage.

(C-99) Les blessures qui vous empêchent d'être vous-même

Cette conférence vous enseignera à reconnaître la ou les blessures qui vous habitent depuis très jeune et comment les guérir.

(C-100) Comment bien gérer le changement

Avec la venue de l'ère du Verseau, nous devons tous faire face à plusieurs changements. Pourquoi ces changements sont nécessaires? Comment les gérer dans l'harmonie et l'acceptation plutôt que la résistance.

(C-101) Les cinq obstacles à l'évolution spirituelle

Nous sommes tous confrontés à des épreuves pour vérifier si nous nous dirigeons davantage vers notre Dieu intérieur. Découvrez si vous avez bien passé à travers ces épreuves grâce à cette conférence.

(C-102) L'angoisse et l'agoraphobie

Cette conférence explique les causes et les effets de l'agoraphobie d'une façon unique à Écoute Ton Corps. Lise Bourbeau vous donne des moyens concrets pour dissoudre cette grande peur qui fait de plus en plus de ravages.

(C-103) Comment être à l'écoute de son corps

Votre corps est une alarme! Il reflète tout ce qui se passe à l'intérieur de vous. Apprenez, grâce à cette conférence, comment écouter les messages de votre corps pour savoir si vous êtes dans l'amour de soi.

(C-104) Est-ce possible de ne plus se sentir coupable?

Découvrez à quel degré vous vous sentez coupable et pourquoi. En plus, différents moyens pour arriver à ne plus vous sentir coupable seront enseignés afin d'arrêter de subir tous les effets nuisibles de la culpabilité.

(C-105) Comment résoudre un conflit

Grâce à cette conférence, vous apprendrez quelle attitude avoir et quels moyens pratiques utiliser pour régler un conflit autant au plan personnel que professionnel. savoir si vous êtes dans l'amour de soi.

Conférences sur cassettes vidéo

(toutes les versions VHS disponibles (SECAM, PAL ET NTSC)

Prix: ext. du Canada: 24.95$; Canada: 26.70$; Québec: 28.70$ (taxes incluses)

VC-01 Ton corps dit: Aime-toi!

La conférence enregistrée lors du lancement du livre Ton corps dit: Aime-toi! Cette conférence sur vidéo vous aidera à utiliser le livre du même titre de façon à en retirer le plus de bienfaits possibles.

VC-02 Comment découvrir et gérer vos croyances

Découvrez les croyances qui empêchent vos désirs de se manifester. Apprenez une technique simple pour devenir votre propre maître au lieu de laisser vos croyances du passé diriger votre vie.

VC-03 Comment être à l'écoute de son corps

Votre corps est une alarme! Il reflète tout ce qui se passe à l'intérieur de vous. Apprenez, grâce à cette conférence, comment écouter les messages de votre corps pour savoir si vous êtes dans l'amour de soi.

Cassettes et CD de détentes dirigées et de méditations

Prix: Cassettes: voir tableau page C3

CD: ***Québec***: *17.20$* avec taxes ***Canada:*** *16.00$* avec taxe ***Autres Pays:*** *14.95$* sans taxes

(ETC-12) DÉTENTE DIRIGÉE "COMMUNICATION"

Côté I: Détente pour faire une demande, un partage ou un pardon avec quelqu'un. Côté II: Musique douce.

(ETC-13) DÉTENTE DIRIGÉE "PETIT ENFANT"

Côté I: Détente pour entrer en contact avec le petit enfant en soi afin de mieux accepter ses peurs et ressentir de la compassion. Côté II: Musique douce.

(ETC-14) DÉTENTE DIRIGÉE "SITUATION À CHANGER"

Côté I: Devenir conscient d'une situation pénible à vivre. Transformer votre vision en la revivant dans l'harmonie plutôt qu'avec émotion. Côté II: Musique douce.

(ETC-15) DÉTENTE DIRIGÉE "LE PARDON"

Disponible en CD

Côté I: Détente pour faire un pardon véritable avec une personne absente de votre vie ou pour se préparer à faire le pardon avec quelqu'un. Côté II: Musique douce.

(ETC-16) DÉTENTE DIRIGÉE "ABANDONNER UNE PEUR"

Côté I: Détente pour aider à lâcher prise d'une émotion, d'un stress ou d'une situation difficile à vivre. Extrait de la technique S'abandonner.
Côté II: Musique douce.

(ETC-17) DÉTENTE DIRIGÉE "S'OUVRIR À L'ÉTAT D'ABONDANCE"

Disponible en CD

Côté I: Détente utilisant sept étapes pour attirer plus d'abondance dans votre vie dans quelque domaine que ce soit. Côté II: Musique douce.

(ETC-33) DÉTENTE DIRIGÉE "JE SUIS"

Côté I: Détente pour devenir conscient de vos désirs et besoins dans plusieurs domaines de votre vie.
Côté II: Musique douce.

(ETC-03) MÉDITATION "JE SUIS DIEU"

Côté I: Méditation sur le mantra d'Écoute Ton Corps.
Côté II: Musique douce.

(ETC-21) MÉDITATION "NOTRE PÈRE"

Côté I: Signification métaphysique du Notre Père lu par Lise Bourbeau. La prière du Notre Père chantée par Monique Bertrand. Côté II: Méditation en trois parties: Le mantra "Je suis Dieu" chanté, les attributs de Dieu et musique douce.

Commandez par téléphone pour un service RAPIDE p. C2

Albums Cassettes

Dans chaque album, 4 cassettes audio pour le prix de 3!

Québec: 40.21$ avec taxes *Canada: 37.40$* avec taxe *Autres Pays: 34.95$* sans taxes

Argent et Abondance (ALB01)

- *La peur l'ennemie de l'abondance (C-01)*
- *Prospérité et abondance ((C-16)*
- *Comment se décider et passer à l'action (C-20)*
- *Comment réussir à atteindre un but (C-30)*

Confiance en Soi (ALB02)

- *L'amour de soi (C-21)*
- *Comment s'estimer sans se comparer (C-25)*
- *Rejet, abandon, solitude (C-31)*
- *Développer la confiance en soi (C-42)*

L'Amour (ALB03)

- *Le grand amour peut-il durer? (C-08)*
- *L'amour de soi (C-21)*
- *Comment être à l'écoute de son coeur (C-28)*
- *Comment se faire plaisir (C-54)*

Comment Surmonter les Peurs (ALB04)

- *La peur, l'ennemie de l'abondance (C-01)*
- *Comment gérer ses peurs (C-45)*
- *Se sentir mieux face à la mort (C-11)*
- *Les ravages de la peur face à l'amour (C-56)*

L'alimentation (ALB05)

- *Comment s'aimer sans sucre(C-09)*
- *Se connaître à travers l'alimentation(C-52)*
- *Bien manger tout en se faisant plaisir(C-60)*
- *Sans viande et en parfaite santé (C-41)*

Détentes Dirigées (ALB06)

- *Détente "Je suis" (ETC-33)*
- *Détente "Communication" (ETC-12)*
- *Détente "Petit enfant" (ETC-13)*
- *Détente "Situation à changer"(ETC-14)*

Les Besoins des Corps (ALB07)

- *Les besoins du corps physique et énergétique (C-62)*
- *Les besoins du corps émotionnel (C-63)*
- *Les besoins du corps mental (C-64)*
- *Les besoins du corps spirituel (C-65)*

La Sexualité (ALB08)

- *Les messages cachés des problèmes sexuels (C-68)*
- *Le principe féminin et masculin (C-39)*
- *Sexualité, sensualité et amour (C-05)*
- *La spiritualité et la sexualité (C-12)*

Les malaises et maladies (ALB09)

- *Comment se guérir soi-même (C-03)*
- *Se guérir en s'aimant (C-66)*
- *Comment évoluer à travers les mal. et maladies (C-10)*
- *Découvrez les causes de vos malaises et maladies (C-98)*

Le travail (ALB10)

- *Retrouver sa créativité (C-35)*
- *S'épanouir et évoluer dans son milieu de travail (C-80)*
- *Pourquoi et comment organiser son temps (C-81)*
- *Comment bien gérer le changement (C-100)*

La culpabilité (ALB11)

- *Être responsable c'est quoi au juste (C-06)*
- *Savez-vous vous engager (C-82)*
- *Comment faire respecter son espace (C-90)*
- *Est-ce possible de ne plus se sentir coupable? (C-104)*

Bon de commande page C13

Améliorez votre qualité de vie dans le confort de votre foyer!

Visitez le site de www.leseditionsetc.com pour lire des extraits de chaque livre.

Écoute Ton Corps, ton plus grand ami sur la Terre (L-01)

En s'aimant et en s'acceptant, tout devient possible. La philosophie d'amour que transmet Lise Bourbeau à travers ce livre est la base solide d'un nouveau mode de vie. Plus que de simples connaissances, elle vous offre des outils qui, si utilisés, vous mèneront à des transformations concrètes et durables dans votre vie. *Plus de 300 000 exemplaires vendus.*

20.28$ Canada (taxe incluse) ou
18.95$ extérieur du Canada (taxes et douanes non incluses)

Traduction anglaise disponible (L-01a)

Écoute Ton Corps, ENCORE! (L-06)

Voici la suite du tout premier livre de Lise Bourbeau. Ce livre regorge de nouveaux renseignements par rapport à "l'avoir", "le faire" et "l'être". Il saura vous captiver tout comme le premier!

20.28$ Canada (taxe incluse) ou 18.95$ extérieur du Canada (taxes et douanes non incluses)

Qui es-tu? (L-02)

La lecture de ce livre vous apprendra à vous connaître davantage à travers ce que vous dites, pensez, voyez, entendez, ressentez, et ce par le biais des vêtements que vous portez, l'endroit où vous habitez, les formes de votre corps et les différents malaises ou maladies qui vous affectent aujourd'hui ou qui vous ont déjà affecté.

20.28$ Canada (taxe incluse) ou 18.95$ extérieur du Canada (taxes et douanes non incl.)

Je suis Dieu, WOW! (L-05)

Dans cette autobiographie au titre audacieux, Lise Bourbeau se révèle entièrement. Pour les curieux, un bilan des différentes étapes de sa vie ainsi que plusieurs photos. Comment une personne peut-elle en arriver à affirmer: "Je suis Dieu, WOW!"? Vous le découvrirez à travers son récit.

20.28$ Canada (taxe incluse) ou 18.95$ extérieur du Canada (taxes et douanes non incluses)

Les 5 blessures qui empêchent d'être soi-même (L-08)

Ce nouveau livre de Lise Bourbeau démontre que tous les problèmes proviennent de cinq blessures importantes : le rejet, l'abandon, l'humiliation, la trahison et l'injustice. Grâce à une description très détaillée des blessures et des masques que nous développons pour ne pas voir, sentir et surtout connaître nos blessures, vous arriverez à identifier la vraie cause d'un problème précis dans votre vie.

20.28$ Canada (taxe incluse) ou 18.95$ extérieur du Canada (taxes et douanes non incluses)

Traduction anglaise disponible (L-08a)

Ton corps dit: Aime-toi! (L-07)

Le livre le plus complet sur la métaphysique des malaises et maladies. Ce livre est le résultat de toutes les recherches de Lise Bourbeau sur les maladies depuis quinze ans. Elle explique dans ce volume les blocages physique, émotionnel, mental et spirituel de plus de 500 malaises et maladies.

26.70$ Canada (taxe incluse) ou 24.95$ extérieur du Canada (taxes et douanes non incluses)

Traduction anglaise disponible (L-07a)

NOUVEAU!

Une année de prises de conscience avec Écoute Ton Corps (L-09)

Ce livre se veut un puissant outil de prises de conscience grâce aux questions à se poser à chaque jour selon un sujet particulier hebdomadaire.
CANADA: 20,28$ (taxe incluse)
Extérieur du Canada: 18,95$ (frais de douanes non incluses)

Collection Écoute Ton Corps

À travers les livres de cette collection, Lise Bourbeau répond à des centaines de questions de tous genres, regroupées par thèmes différents. Sont disponibles à l'heure actuelle, les sept livres suivants:

(LC-01) Les relations intimes
(LC-02) La responsabilité, l'engagement et la culpabilité
(LC-03) Les peurs et les croyances
(LC-04) Les relations parent -enfant
(LC-05) L'argent et l'abondance
(LC-06) Les émotions, les sentiments et le pardon
(LC-07) La sexualité et la sensualité

10,65$ chacun au Canada (taxe incluse) ou 9,95$ chacun
à l'extérieur du Canada (taxes et douanes non incluses)

Collection Rouma pour les enfants

Dans cette collection, "Rouma" représente le Dieu intérieur qui aide les enfants à trouver des solutions à leurs problèmes.
(ROU-01) La découverte de Rouma
(ROU-02) Janie la petite
13,86$ chacun au Canada (taxe incluse) ou
12,95$ chacun à l'extérieur du Canada (taxes et douanes non incluses)

Jeu de cartes

Ce jeu de cartes vous aidera quotidiennement à devenir conscient d'une difficulté faisant obstacle à votre bonheur (carte bleue), à découvrir la croyance non bénéfique qui se cache derrière cette difficulté (carte jaune) et suggérera un moyen concret pour revenir sur la route du bonheur (carte rouge).
LES CARTES ÉCOUTE TON CORPS (J-01)
13.75$ Québec (taxes incluses), 12.79$ au Canada et
11.95$ extérieur du Canada (taxes et douanes non incluses)

Ateliers sur cassettes

Animés par Lise Bourbeau

Enfin, des outils pratiques et efficaces pour améliorer votre qualité de vie... toujours à la portée de la main !

V-01

Le COFFRET-VIDÉO de l'atelier *"Écoute Ton Corps Niveau Un"*

Son contenu dynamique, pratique et interactif constitue l'outil idéal pour améliorer votre qualité de vie. À ce jour, ce cours a été expérimenté par plus de 20 000 personnes.

Ce COFFRET-VIDÉO comprend cinq cassettes vidéo de deux heures chacune et le matériel nécessaire permettant de faire les exercices suggérés; le tout dans un beau coffret pratique pour le rangement.

Prix: 224.30$ au Québec, 208.65$ reste du Canada (taxe/s incluse/s) ou 195$CND à l'extérieur du Canada. (taxes locales et douanes en sus).

Ajouter 20$ pour les versions SECAM et PAL.

V-02

Le COFFRET-VIDÉO de l'atelier *"Écoute Ton Corps Niveau Deux"*

Enfin, un atelier qui vous permet d'approfondir davantage les notions apprises dans l'atelier *Écoute Ton Corps niveau un*. Il est structuré de façon à intensifier et rendre les résultats encore plus durables. Vous vivrez des expériences uniques chaque semaine en rapport avec les différents besoins des corps physique, émotionnel et mental et vous vous sentirez reconnecté de plus en plus à vos vrais besoins essentiels.

Prix: 201.30$ au Québec, 187.25$ reste du Canada (taxe/s incluse/s) ou 175$CND à l'extérieur du Canada. (taxes locales et douanes en sus). Ajouter 20$ pour les versions SECAM et PAL.

AA-01

Le COFFRET-AUDIO de l'atelier "Vendre avec coeur"

À l'aube du prochain millénaire, une nouvelle approche est nécessaire pour oeuvrer efficacement dans le domaine de la vente. Venez profiter des trente années d'expérience de Lise Bourbeau où elle a rencontré plus de 20 000 personnes. Cet atelier vous apportera:

- ✓ une plus grande confiance en vous-même et en votre produit;
- ✓ une méthode efficace pour aider le client à identifier son besoin sans exercer de pression;
- ✓ une technique d'écoute permettant d'accueillir le client quand il exprime ses besoins et ses objections;
- ✓ les moyens pour augmenter votre rendement sans augmenter votre stress.

Prix: 102.38$ au Québec, 95.23$ reste du Canada (taxe/s incluse/s) ou 89$CND à l'extérieur du Canada. (taxes/douanes locales en sus).

BON DE COMMANDE POSTALE

PRODUIT	QTÉ	TOTAL	POIDS (g)
SOUS-TOTAL			
AIS DE MANUTENTION			
TOTAL			

POIDS DES PRODUITS
LIVRE (450g/ch)
LIVRE DE COLLECTION (200g/ch)
CASSETTES AUDIO (75g/ch)
ALBUM CASSETTES (350g/ch)
LA COLLECTION ROUMA (300g/ch)
CD ET JEU DE CARTES (140g/ch)
CONFÉRENCE SUR VIDÉO (235g/ch)
COURS VENTE AUDIO (350g/ch)
ATELIER SUR VIDÉO (2650g/ch)

N.B. Tous les prix sont sujets à des changements sans préavis.

FRAIS DE MANUTENTION

Calculez le poids de chaque produit commandé, faites le total et référez-vous au tableau ci-bas pour les frais de manutention.

	Service normal (1 à 2 semaines)
CANADA :	$ 6.80
ÉTATS-UNIS :	$ 7.80

AUTRES PAYS

	PAR BATEAU (6 semaines)	PAR AVION (1-2 semaines)
100 à 500g =	$ 8,20	$13,20
600 à 1000g =	$12,10	$23,40
1100 à 2000g =	$16.00	$37,00
2100g à 2500g=	$26.50*	$46,20*
2600g à 3000g=	$30.00*	$55,00*
Plus de 3100g=	téléphonez-nous	

*Prix valide pour l'**EUROPE** seulement

aiement par chèque ou mandat-poste à l'ordre de:
COUTE TON CORPS, 1102 Boul. La Salette, Bellefeuille, Québec, Canada. J0R 1A0.

UROPE et ÉTATS-UNIS: Mandat international en devises canadiennes ou par carte de crédit.

☐ VISA Numéro: ____________ Exp.: ___ mois / ___ année

☐ MasterCard Nom du titulaire: ____________

Signature: ____________

☐ **CHÈQUE / MANDAT-POSTE**

om: ____________

dresse: ____________

ille: ____________ Code postal: ____________

él. résidence: ( ) ____________ Tél. travail: ( ) ____________

Service *ultra-rapide* en téléphonant avec carte de crédit

Ligne directe Montréal et environs: 875-1930

450-431-5336 si interurbain **1-800-361-3834**

Télécopieur: (450) 431-0991